점퍼Jumper, 순간이동자 2권

Jumper, The Teleporter 2

점퍼Jumper, 순간이동자2

발　행 | 2024년 03월 25일
저　자 | 장성우(살생금지)
펴낸이 | 장성우
펴낸곳 | 인생은 인쇄다
출판사등록 | 2023.7.17.(2023-000037호)
이메일 | jsoooosj@naver.com

ISBN | 979-11-93868-09-6(04810) / 979-11-93868-13-3(세트)

jsoooosj.upaper.kr

점퍼Jumper, 순간이동자 2권

장성우(살생금지) 현대 판타지 소설

목차

작가의 말

점퍼, 입니다. 2권이군요. 음 … .

전 권에서도 말씀드렸듯 이 소설은 총 5권 완결입니다.

현대 판타지, 액션, 블록버스터, SF, 로맨스, 시트콤,

뭐… 그런 소설입니다. 짬뽕이죠.

그냥 적당히, 가볍게 즐길 수 있는 소설들을

적어 내려간 것에 불과하기는 합니다. 여러분들 입맛에도 어찌 좀, 맞으신다면 좋겠습니다. 종이책을 사는 건 깨나 돈이 많이 드는 일이죠. 그래도… 소장 가치가 있는 어떤 책들에 대해서는

나름대로 또 돈을 쓰는 게 즐거운 일이기도 합니다. 이 책도 그런 책이 되길 원합니다. 음…. 네. 2권의 저자의 말은, 3월 16일에 쓰고 있군요. 하루에 한 권씩 집필을 하고 있는 상황은 아니고요

이전에 써두었던 책을 편집하는 과정에서, 작가의 말을 다시 적고 있을 뿐입니다.

음.

네.

지금 시간은 점심 무렵입니다. 여러분들도 맛있는 점심이 되시기들 바라고… 읽으시는 '지금'이 언제인 지 저는 전혀 모르지만요. 뭐 아무튼. '인생은 인쇄다'에서는 이렇게 현대 판타지 소설을 시작으로, 이후에 본격적인 판타지 소설들도

도서로 출간할 듯 싶습니다. 인생은 재미있는, 긴 여정이나 마찬가지입니다. 여러분들도 삶에서, 그런 재미난 여정이 있으시길 바라고… 또 쉬어야 할 때 쉴 수 있는 여유가 절대적으로 있으시길 바라겠습니다. 감사합니다.

24.3.16.土.저자, 장성우:살생금지 올림

1.봄 이야기

*

5월 3일의 저녁은 꽤나 길었다.

특히, 점퍼 조직의 어느 단독 행동 요원들에게 있어서는 말이다. 그들은 수준 높은 범법자를 추적해 잡아들이기 위해 수고를 했다. 개중에서도 '리시버'라 불리는 인원은 근래에 손에 꼽히는 개고생을 해야만 했다. 어지간한 의뢰나 상황에서 그에게 부상을 입힐 만한 건 극도로 적었는데, 어중간한 여러 개의 위협보다는 하나의 수준 높은 대적자가 그에게 시련이 되기에 더 알맞았다.

점퍼의 조직원들은 수많은 실전들을 통해 자신의 실력과 재능을 갈고 닦는다. 개인의 역량은 계속해서 갈고 닦아지고 향상된다. 어느 시점의 최전성기를 지나서 기능이 떨어지는 나이대가 되기 전까지는 말이다.

리시버는 그런 와중의 상태였다. 지금 역시도 훌륭한 솜씨와 역량을 지닌 요원이었지만, 연달아 오는 많은 의뢰가 그를 더욱더 노련한 조직원으로 만들어갈 것이었다.

그렇게 치명적인 상처를 입지 않고 계속해서 갈고 닦이고, 경험을 쌓다가 차후에는 조직의 수뇌부에 들어가게 되는 것이다. 현장의 요원에서 조직 전체를 관리하는 위치에 서고 조직 전체의 방향을 결정하며 나아갈 인원들. 점퍼 조직의 점퍼들은 소수의 인원이었고, 그들 모두가 특별한 일이 없다면 힘이 닿는 순간까지 조직에 헌신하지만 모든 이들이 직급이 올라가고 조직의 헤드가 되는 건 아니었다.

소수의 특별한 인원들을 제외하고는 보통 현장에서 물러나면서 은퇴를 하거나, 교관, 후방 지원, 보조 행정 따위를 보게 되며 중추에서 멀어진다. 굳이 따지자면, 높은 개인 임무 수행 능력을 가진 '리시버'나 '소드 마스터' 등은 많은 경험을 쌓으며 동시에 조직의 수뇌부가 되기 위한 훈련 과정에 있는 인원들이었다.

그들에게 조직의 수뇌부 인원들이 특별한 관심과 교육의 노력을 들이는 이유이기도 했고 말이다.

리시버는, 그런 의미에서 특별한 수업 과정을 하나 헤쳐 나간 셈이었다. 5월 3일의 임무에서 말이다.

시간은, 조금 지나 5월 3일 다음의 이야기였다.

그동안 조직의 인물도에는 사소한 변화가 있었다. 우선 3월에서 4월의 어느 날, 홍인수의 답지 않은 도약 중 오류로 인해 어느 민간인이 조직에 연이 닿게 되었다. '김민서'라는 이름의 20대 초반 청년이었다.

그는 침착하고, 어딘가 나사 빠진 듯한 태도와 성격으로 조직에 비교적 쉽게 녹아들었다. '점퍼'가 아닌 비능력자 인원으로서 눈에 띄는 유연함과 납득의 과정이었다. 일명 '뺑소니'라 불리는 점퍼들의 도약 중 사고로 인해 발생하는 민간인 접촉자들을 괜히 타이르거나 암시로 돌려보내는 게 아니었다. 김민서가 제대로 점퍼 조직이라는 집단에 적응하지 못했다면, 어떤 외부적 이유가 있든 조직은 그와 더 이상 상관하지 않았을 테였다.

물론 눈에 닿지 않는 곳에서 그 민간인의 안위에 대한 염려와 지원 정도는 지속됐겠지만 말이다.

김민서가 연속적인 도약 중 접촉 이후에 조직의 내부에 들어와 조직원들과 교류하며 삶을 지속하는 건 그의 선천적인 적성이나, 후천적인 태도에 따른 일이었다. 그는 이후로 얼마간 '코치'와 '소드 마스터'에게 훈련을 받으면서 정기적인 방문객이 되었다가, 조직의 관련자 정도로 입지가 바뀌었다. 그리고 시간이 조금 더 지나면서 '예비' 비능력자 요원 정도로 조직원들에게 받아들여지게 되었다.

김민서로서도 당장 하루하루 생계를 걱정해야 하는 처지였고, 소드 마스터나 코치도 그를 훈련 시키면서 비슷한 생각을 했기에 꽤나 확정적인 앞날이었다.

그리고 비슷한 시기에 조직과 관계가 생긴 외부인이 하나 더 있었다.

'송일우'라는 한국인 청년이었다. 점퍼 조직은 최초에 통일된 단체가 한국에 생기기도 했고, 여러모로 한국과 관련이 많았다. 우연인지 필연인지 세대를 거듭하면서 한국인 중 점퍼의 발생 비율 또한 점점 높아져 갔고.

'송일우'는 그런 한국에서 자연 발생한 후세대(80년대 후반 이후에 출생한 점퍼들)점퍼 중 하나였고, 조직과는 반대되는 길을 걸어가던 자였다.

독립적인 점퍼로 지내며 범죄적인 팀의 일원으로 활동하던 그는 여유로이 한국 사회에서 생활하던 중 자금 추적으로 꼬리가 잡혔고, 홍인수에게 직접 붙잡히기에 이른다.

길지 않은 회유와 신문 끝에 팀에 대한 정보를 불고 그는 새로운 길을 도모했다. 비열한 배신자라고 욕하기에는, 비교적 바른길을 찾은 것이었으므로 그다지 그를 비난할 이유는 없었다.

송일우는 팀의 정보를 팔고 조직에서 방생되듯 풀려났다. 점퍼로서 범죄를 저지르고 조직에 처음 걸렸던 인물이라는 점도 있었고, 그가 저지른 일들이 민간이나 사회에 돌이킬 수 없는 해악을 끼쳤다기보단, 그래도 선처 가능한 지점이라고 조직은 판단했다.

그는 대규모 절도 행각에 참여하고 아시아의 범죄 조직들을 순방하며 무력행사를 자행했으나, 일반적인 민간인들에게 이유 없이 피해를 끼치지는 않았다. 그래, 조직은 그가 싸이코이지만 비교적 온순하고 통제가 가능한 싸이코라고 판단한 것이다.

이 세상에는 점퍼가 아니면서 정신이 나간 자들도 아주 많았고, 점퍼이면서 악의적으로 돌아버린 이들도 심심찮게 만날 수 있었다. 어지간하면, 회유하고 자유 의지를 존중하며 갱생의 여지를 두는 게 조직의 방침이었다. 효율적인 대응 자원의 절약이라는 점에 있어서 쓸만한 정책이었다.

물론 최소한의 처치 정도는 하게 된다. 송일우는 아직도 강제로 해제할 수 없는 전자 구속구를 몸에 지니고 있었다. 얇은 팔찌 형태의 그것은 겉으로 보면 전혀 구속구라 보이지 않는다. 겉 면의 광택이 보석의 재질처럼도 보여 악세사리라고 착각할 만하다.

다른 기능은 없고 간단한 위치 추적 기능과, 물리적으로 부수려 할 때 착용자에게 전기 충격을 주는 효과가 있었다. 그 외에는 조직은 터치하지 않았다. 그가 능력을 사용하던, 뭘 하던. 사회의 기준에서 똑같이 범죄를 저지르는 게 아니라면 그의 행동을 제약하지 않았다. 위치만 볼 뿐이었고, 실제로 감시하고 있지도 않다.

다만 완벽한 '방임' 이전에 '주시 경계' 상태이므로 근처에서 점퍼의 능력으로 보이는 범죄 사건이 벌어진다면 먼저 용의선상에 오르기는 한다. 그때 동시에 구속구를 해제하고 잠적하게 된다면, 조직의 블랙 리스트에 이름을 두는 것이다.

조직의 자신감은 결국 전 세계 곳곳에 뻗어 있는 협력 단체들의 지지와 협조였다. 개인적인 수준에서 결코 따라올 수 없는 방대한 정보망이 그들에게 있었고, 결국 꼬리를 잡힌다면 조직의 점퍼들이 가장 잘 하는 일을 다음 수순으로 할 뿐이었다.

추적과 구속, 그리고 다양한 첨단 물품들을 이용한 자유의 제약이었다.

어쨌든… 도저히 방생 불가능이라 판단되는, 이유 없이 공격성을 띠는, 연쇄 살인마 같은 놈이라면야 당장에 특별 보호 감옥 따위에 쳐넣고 평생을 살게 하겠지만 그렇지 않은 이상 한 번의 기회 정도는 더 주는 편이었다.

점퍼 조직은 공적인 단체는 아니었고, 법적인 사법권司法權이 있는 무리들도 아니었다. 현장에서 뛰며, 그저 최소한의 조치를 취할 뿐인 단체였지.

결론적으로 송일우는 조직에 묶여 신문을 당한 이후로 비교적 고분고분해졌다. 천지가 어디 있는 줄 모르고 날뛰던 망아지에서, 자신의 위에 비슷한 솜씨를 가진 점퍼들을 거느리는 조직이 있음을 깨닫고 다시 사회에 대한 감각을 익힌 모양이었다.

누구든지, 어느 미래의 고양이 로봇이 나오는 만화에서처럼 '어디로든 문' 따위를 건네준다면 법적인 제약을 넘어서 사욕을 채우기 위해 움직이게 될 수도 있다. 그런 선까지는 이해할 수 있는 일이었다.

누구든지 실수는 할 수 있다, 라는 격언이 조직을 세운 초대 지휘관의 모토였으며 지금까지 전해져 내려오는 마음가짐이었다.

이후로 잭 더 나이프, 송일우는 조직의 일손을 돕는 위치로 옮겨갔다. 아직 전적인 신임을 받지는 못했지만 김민서와 마찬가지로 견습이나 예비 정도는 되었다. 점퍼가 하기에는 지나치게 자질구레한 심부름 따위들을 맡고 있었지만, 그에게 있어 큰 문제는 아니었던 모양이다.

도리어 '소드 마스터'라는 존재에게 빠진 면도 있었다. 그동안 자신을 꺾거나 상대할 수 있는 대상이 없다고 느꼈던 어린 청년이었던 그는 무력감을 느끼고 그에게 감화되었다. 그 능력에 매력을 느낀 것일 수도 있었다.

조직을 드나들고 종종 소식을 접하는 김민서와도 간혹 마주치며 얼굴을 익히게 되었다. 비록 첫 만남은 좋지 못했지만.

데면데면 할 지언정 인사를 하고, 일적인 이야기를 나누는 정도의 사이는 되었다.

그래서 김민서에게 지금, 조직의 전달 사항에 대해서 이야기를 하고 있는 것이기도 했다. 송일우가.

서울, 어딘가. 빌딩 옥상.

바람이 불어온다. 고층 빌딩의 옥상에서는 지면에서 느끼지 못하는 칼바람이 종종 분다. 높은 산이나 절벽에 오른 것과도 비슷하다. 김민서는 눈살을 찌푸리며 바람을 맞아대고 있었다. 눈이 따갑다. 결국 그는 방향을 틀어 바람을 등지고 섰다.

빌딩의 옥상에는 별다른 구조물들은 없었다. 넓게 펼쳐진 자리가 공터처럼 있었고, 옥상으로 올라오는 출입구가 있는 네모난 건물이 작게 하나. 그 외에 뭔지 모를 실외기 따위의 설비들이 한 구석에 모여 있다. 그들은 빌딩의 옥상 공터, 한복판에 있었다.

옥상은 민서도 꽤나 추억이 깊이 새겨진 곳이었다. 처음으로 '점퍼'라는 놈들을 만나서 끌려온 곳이었으니. 이곳은 홍인수가 자주 도약의 중간지로 사용하는 서울의 포인트였고, 조직 소유의 건물이기도 했다. 김민서는 정확한 위치까지는 몰랐다. 그저 조직의 점퍼들이 와서 데려가면, 얌전히 단체 도약으로 끌려갈 때 오곤 할 뿐이다.

송일우는 기지의 내부로 도약하는 건 불가능했지만, 이런 임시

거점들 따위는 오가면서 정보의 전달이나 여러가지 잡다한 심부름들을 하고 있었다.

5월 4일. 수요일.

22년도는 민서에게 다사다난한 해였다. 세상엔 늘 다양한 일들이 일어나지만… 상식 바깥의 존재들과 만나서 교류하게 되기도 했고. 고작 한 두달 만에 익숙해졌다는 것도 웃기는 이야기였다.

'익숙'해진 데는 짧은 시간이지만 고밀도의 만남을 가진 것이 큰 요인이었다. 고밀도라고 해도 좋았고, 고강도라고 해도 좋았다.

민서는 4월 첫째 주에 시작해서, 벌써 다섯 번의 훈련을 받았다. 군사 훈련이라고 해도 괜찮았지만, 전투 훈련에 더 가까웠다. 조직의 비 점퍼 요원들이 통상적으로 받는 코스나, 혹은 그것을 넘어서 전투에 참여하는 백업 요원들이 받는 코스로 혹독하게 받았다.

민서는 체력이 나쁜 편은 아니었다. 자세나 습관은 그다지 좋은 편이 아니었지만. 타고난 근질이나 체격은 영 쓸모 없는 수준은 아니었다. 무엇보다 젊은 남성이기도 했고.

그럴 의지나, 환경이 받쳐준다면 노력에 따라 어느 정도 상당한 피지컬을 뽑낼 수 있는 요소가 갖추어져 있는 것이다. 민서는 물론 자발적으로 원하지는 않았지만, 홍인수와 김만철이라는 조직의 콤비에 의해 강제적으로 단련 되어가고 있었다.

무식하게 얻어맞는 것도 한도 없이 맞다 보면 살기 위해서 어느 정도 몸이 반응을 익히는 모양이었다. 민서는 이제 웬만한 주먹에

13

는 움찔하지도 않게 되었다. 보호 장구를 찬 상태에서 맞았다고는 하지만, 홍인수의 손과 발은 정말로 빠르고 강력했다. TV에서나 불법한 빠르기, 혹은 그 이상의 속도로 눈앞을 뭔가 가린다 하면 저 멀리 나뒹굴고 있는 것의 반복이었다.

일반적인 사람 이상의 체력에, 아낌없이 점프를 사용해서 근접전의 타이밍을 잡아가자 민서로서는 최대한 쓰러지지 않고 버티는 것만 해도 놀라운 수준의 성장이었다.

실제로 실전에서 이런 시간들이 얼마나 발휘가 될지는 미지수였지만, 어쨌든 운동을 한다는 생각으로 버티고 있었다. 몇 시간이고 지치지도 않고 던져지고 맞고 하다가 보면, 중간중간 김만철에 의해 생각도 없던 PT를 받으면서 기초 체력을 끌어올리게 된다.

자신이 별다른 계획 없이 시간을 보내는 처지이기는 했지만… 느닷없이 운동선수의 스케줄을 보내리라고는 생각하지 못했기에 간혹 뭐 하는 걸까 싶기도 하다.

아무튼 그는 처음으로 그와 홍인수의 싸움을 구경했던 장소에서, 다시 송일우와 이야기를 하고 있는 처지였다. 고작 한 달 만에 일어난 관계성의 변화였다.

"조직의 연구부에서 아마 김민서 씨, 에 대한 유의미한 사실을 발견한 것 같습니다."

그의 친구, 김수정과 헤어지고 얼마 지나지 않은 날의 일이었다. 그가 그녀와 만난 것이 이틀 전의 일이다. 별안간 예상 밖의 상황으로 김수정이 그들과 마주친 것도 같은 날의 사건이었고.

그 때는 다소 급하게, 얼굴을 보고 이야기할 것이 있다는 듯한 투였다. 타이밍이 맞지 않아서 헤어지고는 말았지만. 홍인수가 다시 올 줄 알았는데, 송일우가 다시 그를 찾아왔다.

그는 늘 가는 편의점 아르바이트를 가기 전, 오전 시간에 연락을 하고 온 송일우를 맞아 단체 도약으로 이 곳에 이동한 참이었다.

"유의미한 사실이라고요."

민서가 대답했다. 얼결에 되물었다. 머리로는 단박에 이해가 가지 않는 문장이었다. 연구부라, 자신과는 거리가 먼 이름이었다. 기계 공학을 전공했지만, 마음을 쏟지는 못했다. 그리고 화학과 생물 쪽이라면 더욱이 연관이 없는 편이다.

기계류기 들어가는 분야라면 익숙한 느낌이야 나겠지만 수입도 못 쫓아간 학부생의 시선으로 '조직'같은 곳의 연구소가 다루는 일이 이해가 될 것 같지도 않았고, 그가 보기에 '점퍼'의 능력은 인체나 생명공학, 의학과 밀접해 보였다. 짐작 뿐이지만.

"예, 그냥 전달할 말을 죽 읊자면…."

송일우가 목소리를 가다듬으며 이야기했다. 그는 늘 비슷한 복장이다. 두껍고, 활동적인 복장. 혹시 어딘가에서 싸움이라도 벌어지거나, 땅바닥에 굴러도 잘 다치지 않을 것 같은 옷차림. 보통 질긴 재질의 바지나 외투 따위를 걸치고 두꺼운 신발을 신고 있었다.

체육 계열의 대학생이나, 혹은 건설 노동 현장에서 일하곤 하는 젊은이처럼도 보인다. 그가 날카로운 눈매를 빛내며 이야기했다. 민서는 저 인상이 더러운 사내가 더 이상 칼을 들고 누군가를 적대하지 않는다는 사실에 감사했다.

"소드 마스터, 홍인수 선배가 연간 점프를 하며 위치 오류를 일으키는 일은 극히 드뭅니다. 일 년에 한 번이 있을까 말까하죠. 하루에 백 수십회, 연간 만 단위의 도약을 꾸준히 하면서도요."

김민서는 고개를 끄덕였다. 점퍼도 아니었고 도약이라는 신비로운 현상에 대해서도 아는 건 없었지만, 대강 홍인수가 뛰어난 실력자라는 사실에는 동의를 했다. 그는 그에게 훈련을 시킬 때도 단한번도, 조금의 오차도 없이 3D게임에서 연타를 치듯이 자신을 몰아 넣고 타이밍에 맞게 갈구었다. 그런 묘기를 자유자재로 부리는 사람이 실수가 많다고는 생각할 수 없었다.

"그런데 서울에서 임무 중에 도약을 시도하면서, 한달 여 만에 세 차례 위치 오류가 있었습니다. 조직의 점퍼들 사이에서 '뺑소니'라고 하는 사고로… 점퍼랑은 전혀 관련이 없는 당신과 떡하니 마주쳤죠. 어떻게 얼버무릴 틈도 없이 정면으로."

지난 이야기를 해주듯한 이야기에 민서는 잠자코 듣고 있었다. 친절한 설명이었다.

"이건 연구부의 데이터로 볼 때 꽤나 이상한 일입니다. 점프가 다른 요인에 의해서 방해를 받는 건 이때까지 관측된 적 없는 일이거든요. 점프를 시도 중인 점퍼에게 물리적인 위해를 가하거나, 혹은 다른 점퍼가 접촉한 상태에서 점프를 방해하는 게 아니라면요. 이미 시행된 점프에 영향을 끼치는 요인이 있었다고 연구부는 생각을 했습니다."

송일우가 이어 말했다. 그는 충실한 조직의 전달자였다. 빌딩 옥상은 여전히 바람이 분다. 그들은 선 채로 긴 이야기를 나누고 있었다. 김민서는 아주 잠깐, 이럴 거면 어디 실내에서 하는게 낫지 않을까 지나가는 생각을 했다.

일우는 주변의 영향에 둔한 모양인지 별 꺼리는 기색이 없어 보였다.

"이 요인에 대해 밝힐 수 있다면 점퍼들에 대한 획기적인 장비를 만들 가능성도 있게 됩니다. 여태까지 다른 요인으로 점퍼를 무력화시킬 수 있는 방법이 전혀 없었기에, 그들에 대한 대우가 거칠어 지는 것도 있었으니까요. 범죄적인 성향을 띠는 점퍼들을 구속하기 위해서 동일한 수의 점퍼들이 고생을 하는 것도 조직의 오랜 고민이기도 합니다."

민서는 이제 '재밍'이라는 기술에 대해서 잘 알고 있다. 비능력자는 단체 도약에 대한 거절이라는, 소극적인 범위의 재밍만이 가능했지만 점퍼들끼리는 상대의 도약을 저지하는 공격적인 재밍이 가능했다. 각자의 도약 횟수를 소모하는, 점프 에너지의 싸움이었다.

그리고 이것은 무조건 상대의 몸(옷가지 따위 위에라도)에 손이 닿아 있는 때 가능한 일이었고 반사회적인 싸이코 성향을 지닌 점퍼들을 구속하고 제어하기 위해서는 24시간, 점퍼 요원들이 그들을 감시하며 체력을 소모해야 했다.

한 명의 점퍼들 신문하고 구속하기 위해서 한 명의 점퍼가 필요함으로, 세계에 파악된 점퍼들의 수가 많지 않은 걸 감안하더라도 조직의 인원 구성에 큰 출혈이 될 수 밖에 없었다.

한 명의 점퍼가 사고를 치고 그에게 조치를 가하기 위해서, 다른 수 많은 의뢰와 세계의 사건들에 대해 대응하지 못하는 일이 벌어지는 것이다.

그리고 이런 일은, 드물게도 조직에 반하듯 여러 명의 점퍼들이 범죄 행위를 위해 연대를 했을 때 가장 큰 부담으로 다가온다. 동시에 여러 명의 점퍼들을 죽이지 않고, 물리적으로 구속하며 신문을 하기 위해서 그 배는 되는 인원들이 기지 내에 죽치고 대기를 해야 하는 것이다.

쉬거나 교대 시간 없이 한 명이 하나의 구속 인원을 담당하며 24시간 손을 대고 있을 수는 없을 테니.

송일우는 그런 고민과 문제들을 해결할 수 있는 요인에 대해서 말하는 듯했다.

"선배가 이야기하기를, 분명히 정상적으로 점프를 시도했는데 무언가에 유도 되듯이 그 장소로 이끌렸다고 하더군요. 여태까지는 그런 일이 없었고, 기록적으로도 그런 사례는 없었습니다만. 처음에는 그 '장소'가 특별한 요인이 있는가 해서 당신의 예전 원룸을 조직에서 샅샅이 조사를 했지만… 나오는 건 아무것도 없었습니다."

민서는 그 말에 역시 고개를 끄덕였다. 홍인수가 한 번 말한 것 같았다. 자신의 집을 조사하겠다고. 집에 문제가 있을 수도 있고, 민서가 위험할 수 있으니 다른 곳으로 이사를 가라는 말과 함께.

덕분에 조직의 자금으로 조금 더 깔끔하고, 넓은 신식의 원룸에 머물게 되었다. 예전 원룸만큼의 월세와 계약금만을 지불하면서. 애초에 계약했던 원룸의 기간만큼 그 집에서 사는 비용을 지원해 주겠다고 했다. 민서는 기분이 아주 좋았다. 집구석에서 말도 안되는 사고를 당한 느낌이 들었었지만, 동시에 이야기를 해보고 상황이 나아진 것이었으니.

다소 위험한 상황이 있었고, 조직에 대한 건 여전히 비밀스러운 구석이 많았지만… 길 가는 부자에게 실수로 실례를 당한 뒤 그 보답으로 바라지 않던 목돈을 얻은 것과 비슷한 기분이었다.

결과적으로 행운에 가까운 체감이라고 할까.

송일우의 말이 이어졌다.

"조직은 그 원룸 건물이나, 위치에 대해서 특이점을 찾기보다, 그 다음에 당신에게 집중을 했습니다."
"저라고요."

송일우가 고개를 끄덕인다.

"예. 어차피 당시에 있었던 변인은 당신과 그 장소 뿐이지 않습니까. 도착지에 어떤 요소가 있는 거라면요. 그 동안 조직에 계속 출입하면서… 주말은 늘 기지 내에서 보내셨죠."

민서가 긍정했다. "어, 그렇죠."

"저도 들은 거지만 기지의 훈련실 내는 눈에 안보이는 첨단 장비들이 있다고 하더군요. 내부 인테리어도 부상이 나지 않도록 값비싼 자재로 만들어져 있고."

첫 번째 이야기는 그로선 확인할 수 없었지만, 두 번째 말은 민서로서 아주 잘 체감하는 부분이었다. 그가 5주간의 주말 동안 아주 잘 확인을 했다. 온 몸으로. 보호구를 끼지 않아도 보호구를 낀 듯한 효과가 나는 바닥이나 벽의 소재였다. 그도 공학도로서 나름대로 소재에 대해서는 호기심이 있었지만, 그 상세에 대해서 잘 짐작도 가지 않는 물건이었다. 기지의 훈련실을 비롯해 다양한 물건들이 전부 말이다.

"첨단 장비들은 대개 조직의 구성원들, 특히 점퍼들의 상세한 데이터를 수집하기 위한 관측 장비로 이루어져 있습니다. 개인적인 프라이버시를 침해하는 말일지는 모르겠지만, 어쨌든 당신에게서 현대 과학 기술로 뽑아낼 수 있는 신체적 데이터는 연구부에서 모두 갖고 있습니다."
"으억."

그는 왜인지 모르게 질겁을 했다. 굳이 따지자면 별 일 아닐 수도 있었으나, 그런 사실을 몰랐다가 알았다는 것에 충격이 있었다.

"뭐 그리고… 간혹 이상한 패치 따위를 붙이고 내부에서 훈련을 한 적도 있지 않습니까. 거기서 쓰는 보호 장구 따위도 다 전자 장비가 들어있는 관측용 물건들입니다."

그건 맞는 말이었다. 이 최첨단의, 비밀스럽고 알 수 없는 집단에서 하는 일이기에 뭐 하겠거니 하고 넘어간 것들이 많이 있었다. 다시금 돌이켜 생각해보면, 그렇게 이상한 것도 아니었다.

점퍼라는 비현실적인 능력을 가진 존재들을 다루는 단체에서, 온 세계의 권력자와 유력 단체들과 협업을 하고 있는데 상식선을 조금 넘나드는 기술들이야 뭐. 민서는 생각을 정리하며 대강 납득했다.

"당신의 뇌파는, 점퍼는 아니지만 특수한 형질을 보이고 있습니다. 훈련에서 보여준 성과도 그 사실을 대변하죠. 보통 일반적인 사람은, 선 자리에서 '단체 도약의 거절'을 알려준다고 그 개념 그대로 실행에 옮기지는 못합니다. 당신 스스로에게는 점프 에너지 JE가 없으며 점퍼도 아니지만, 일반적인 절대 다수의 사람들과 확연히 틀린 종류의 정신파를 가지고 있는 건 확실합니다.

점퍼들이 이용하는 JE에 손쉽게 접촉하고 영향을 주고 받고 있습니다. 그들이 가상의 컴퓨터를 사용하는 메인 유저라면, 당신은 컴퓨터는 보유하고 있지 않지만 주변에 그들이 있을 때 손쉽게 접촉하고 조작을 할 가능성이 있는 서브 유저 정도는 된다는 겁니다."

송일우의 말은 단박에 모두 이해하기에는 어려운 이야기였다. 민서는 고개를 끄덕거리며 머릿속으로 질문을 몇 가지인가 골랐다.

"점퍼들의 뇌파는 JE라는 미지의 에너지, 혹은 물질에 꼭 알맞는 형태를 가지고 있는 키와 같습니다. 그들 자신의 정신이 아니라면 점프는 발동되지 않죠. 당신은 그런 JE에 딱 맞아 떨어지는 성질을 갖고 있지는 않지만, 다른 민간인들 보다는 훨씬 더 그들에 가깝고 또 특이한 영향을 나타내기까지 하는 희귀한 것입니다. "

뭐… 눈에 보이지 않는 이야기를 하려니 이해하는 쪽은 머리가 아플 뿐이었다. 민서는 적당히 상상으로 그림을 그려가며 받아들였다. 점퍼들은 모두 눈에 보이지 않으며 JE라는 물질로 만들어진 듯한 가상의 컴퓨터 기기를 다룬다. 각자의 정신, 뇌파가 입력 장치이며 그것으로 조작을 하면 내장된 프로그램인 점프가 발현된다.

일반적인 비능력자들의 정신, 뇌파도 그런 점퍼들의 가상 컴퓨터에 영향을 줄 수는 있었다. 허나 그 컴퓨터에 꼭 맞는 입력 장치인 점퍼들의 것과 아주 달라서, 둔하고 미약한 수준의 영향만이 가능하다. 직관적인 비유로 글러브를 끼고 타자를 치는 것과 비슷할 것이다. 그러나 고도의 집중이나 훈련이 있다면, 딜리트 키 하나 정도는 구분해서 누를 수 있을 지 모른다.

그것을 프로그램의 발현 타이밍에 맞춰서 해낼 수 있다면 점프의 단체 도약에 대한 거절이 성립되는 것이다.

반면 민서는 그러한 타인의 능력에 대한 간섭과 조작을 훨씬 간단하게 해내었다. 그는 점퍼들이 자신의 개인용 가상 컴퓨터에 맞는 입력 장치를 갖는 것처럼, 꼭 알맞은 형태의 손은 아니지만 일반적인 비능력자들보다는 훨씬 섬세한 구조의 손을 다루며 간섭이 가능하다는 말이었다.

해킹에 용이한 툴, 혹은 마스터 키를 갖고 있는 것과도 비슷했다. 물론 마스터 키나 해킹에 성공했을 때의 위력보다는 한참 떨어지는 수준의 힘이었지만.

"뭐 그것도 그렇지만… 더욱이 연구부에서 주목한 건 그래서 어째서 소드 마스터의 도약이 실패했느냐, 입니다. 당신의 뇌파는 여태까지 다른 이들이 보유하고, 점프에 대해 반응하던 것과는 전혀 궤가 다른 성질을 보여주고 있습니다. 당신은 점퍼가 가상의 선을 그리며 공간을 도약할 때(점프 가설에 따르면, 순간이동은 물리적 공간에 접한 가상의 공간에 들어가 이동한다. 흐르는 시간이 다른 그곳에서의 이동으로 순간이동이 가능하며, 순식간에 일어나지만 A에서 B지점으로 갈 때 눈에 보이지 않는 '과정'이 존재하며 물리적 세계에도 접하는 부분이 있다)당신 주변으로 방대한 역장을 펼치고 있다가 점프의 과정에 간섭을 하게 됩니다."

"엥."

민서는 신음처럼 질문을 던졌다. 질문조차 되지 못하는 바람 빠지는 듯한 소리였지만. 아니 그게 무슨 소리요. 역장이요?

송일우는 아랑곳않고 말을 이었다.

"뭐, 그렇게밖에 볼 수 없습니다. 실제로 당신이 기지에 있을 때 기지 내외에서 점프를 하는 이들에게 미약한 수준의 떨림이 있었습니다. 전자 기기로 점프의 시작지와 도착지를 파악해서 가상의 선을 그리고, 점퍼 스스로의 증언으로 실제 점프의 과정과 비교해봤을 때 약간씩의 오차가 있었습니다. 그러니까, 평소에 점퍼가 예상하는 도착지로의 오차보다 더 큰 오차 범위로 하나같이 도착을 했다는 겁니다. 당신이 주변에 있을 때."

일우는 잠시 침을 삼키며 말을 끊었다가 다시 뱉었다. 여전히 옥상에서는 바람이 분다. 늦봄의 바람. 고층 옥상이라 그런지 제법 춥다. 민서는 옷깃을 적당히 여몄다.

"도식적으로 표현을 해보면, 점프시에 만들어지는 가상의 선의 도착지 부분이 모두 당신 쪽으로 약간 굽어져 있었습니다. 당신은 점퍼들을 끌어들이는 인력을 발휘하고 있습니다. 무의식 중에."

"……?"

민서는 옷깃을 여민 채로 눈살을 찌푸렸다. 다시 한 번 생각한 문장을, 이번에는 말로 뱉었다.

"아니 그게 무슨 소리요."

김민서의 말에 송일우가 잠시 입을 다물었다. 사실 그 역시 그 모든 이야기들에 더욱 깊은 원리를 설명해줄 만큼, 연구자도 아니었고 과학자도 아니었다. 현대 물리학과 온갖 이론들을 점철해서 과학도들이 간신히 파악하고 있는 가상의 점프 이론을 전부 읊어 줄 수도 없었다.

그는 단순하게 현실만 이야기했다.

"편차가 있는 것 같은데… 아마 당신의 의사에 따라 더 강한 인력을 발휘하는 것 같습니다. 당신은 살아 숨 쉬는 천연 점프 재밍 장치가 될 수 있는 가능성이 있어요."

생각보다 더 지독한 문장이었다. 민서는 송일우를 빤히 쳐다봤다. 매섭게 생긴 사내였다. 눈빛은 약간 순해진 것 같지만, 그리고 그가 목격한 바로 홍인수와 정면 대결을 할 정도이니 격투 실력도 달인급의 수준이었고.

민서는 미약한 불만 사항이나, 의문을 곧바로 그에게 토해내지는 않았다. 어디까지나 송일우도 조직에 있어서는 자신과 같은 외부인에 가까운 위치였고, 조직 내부 사정은 다른 이들이 더 잘 알테였다. 그리고 협력을 구한다면 또 다른 조직원이 찾아올 것이었고.

아마 민서와 안면을 익힌 홍인수가 오지 않을까 싶었다. 정 그가 바쁘다면 다른 이들을 새롭게 보게 될 테였지만.

송일우는 단순한 전달자에 불과했다. 이후에 조직에서 민서에게 요구할지 모르는 다양한 일들과 협조, 상황들에 대해 놀라지 말라고 먼저 말해주는 간략한 정보 전달의 심부름꾼.

민서는 눈빛을 흐리며 잠시 송일우의 어깨너머로 펼쳐진 하늘을 바라보았다. 구름이 하얗다. 하늘은 파랬고. 봄날의 태양은 따사로웠다. 흠. 다시 곱씹어보았다. 아무리 생각해도 숨 쉬는 재밍 장치라는 이름은 조금 불길했다. 숨만 보장받고 다른 자유들을 그다지 누리지 못하는 신세로 24시간 굴려지는 악몽같은 모습이 그의 머릿속에 잠깐 떠올랐다.

그는, 김민서는 얼마 전에인가 홍인수가 건네준 작은 통신기기를 떠올렸다. 한 손에 들어오는 작은 피쳐폰 형태의 발신기였다. 폴더폰이라 열고 아무 버튼이라 누르면 된다고 했었다. 어차피 뭘 누르던 똑같은 신호가 수신 장치에 전달되고, 또 위치 역시 가리지 않으니 편하게 사용하라고.

잠깐 누를까, 생각했지만 관두었다. 일단 이야기를 좀 더 마저 듣고, 홍인수에게 좀 더 물어볼 질문들을 가려본 뒤 눌러도 늦지 않다. 민서는 다시 송일우에게 시선을 돌렸다.

”뭐, 혹시 속이라도 안 좋습니까?“

민서의 기색에 일우가 물었다. 민서는 송일우를 바라보며 말할 뻔 했다. 댁이 속이 안 좋아질만한 이야기를 면전에다 하지 않았느냐고. 송일우의 격투 솜씨를 상기하며 삼켰다. 그가 고개를 저었다.

”아니… 아닙니다. 이야기 마저 하시죠.“

햇살이 내리 쬐는 옥상. 그들은 땡볕에서 그러고 있었다. 민서가 문득 분위기라도 환기하듯 고갯짓을 했다. '저쪽으로 갈까요.' 하는 눈치였다. 송일우가 고개를 끄덕이며 그를 따라갔다. 옥상에 그늘이 질만한 건물은 하나 뿐이었다. 옥상 출입구 근처로 걸어가며 일우가 이야기를 이어갔다.

”조직의 연구부는 해당 가능성에 많은 기대를 걸고 있습니다. 여태까지 발견되었던 점퍼들과는 다른 종류로 JE에 개입하는 인자가 발견된 셈이니까요. 근대부터 이어지는 긴 시간 동안 부족한 표본으로 이어져 오던 연구에 드디어 획기적인 변화가 생겼다고.
그리고 또… 아까 말했던 재밍 장치에 대한 가능성도요. 조직의 수뇌부가 기대하는 부분은 이쪽입니다. 당신의 능력이 다른 이들의 점프에 강력하게 영향을 줄 정도라면, 여태껏 점퍼 조직이 해오던 일의 대부분이 편하게 될 수 있어요. '점프'라는 능력이 기본적으로 개입 불가능한 현상이었기 때문에 일이 이렇게까지 어렵게 되었던 건데.“

그 일을 어렵게 만들었던 장본인 가운데 하나가, 눈앞의 송일우였다. 노회하고, 전투적으로 단련된 점퍼라는 존재는 지극히 다루기 어려운 대상이다. 단순히 더욱더 단련되고, 강력한 점퍼나 그에

준하는 인력들이 투입되지 않는 이상 사회 속의 괴물이나 테러를 일삼는 무언가가 될 수 있다.

점퍼들을 조작하는 재밍 장치, 의 존재라는 건 결국 점퍼들 자신의 가능성을 제한하는 일이었지만, 점퍼 조직으로서는 두 팔 벌려 환영하고 있다. 어차피 기술의 발전이야 그들이 바라마지 않는 일이었다. 개인의 능력으로 모든 것들을 해내야 하는 시대에서, 조금 더 편리한 시대로의 발전. 점퍼 조직의 수뇌는 기술 발전을 그렇게 바라본다.

점프도, 기술도 결국 도구일 뿐이다. 누군가가 어떤 사상을 갖고 어떻게 사용하느냐에 따라서 미래가 달라지는.

송일우와 김민서는 옥상의 돌출된 건물 옆에 섰다. 출입구를 바라보고 서자 바람이 사라졌다. 다소 얇은 옷차림으로 나선 터라, 김민서는 여전히 약간 추웠다. 민서가 입을 열었다.

"음… 그렇군요."

별달리 할 말은 없었다. 조직의 행보에 대해서는. 대개의 경우 그는 그냥 그렇군요, 라고 하고 따를 뿐이었다. 비슷한 처지를 따져보자면 갓 중소기업에 들어간 신입이나, 견습과 비슷했다. 해오던 게 있는데 어련히 알아서들 잘 하시겠지.

송일우가 결론적으로 말했다.

"그래서, 아무쪼록 이전과는 다른 방향으로 협조를 좀 해주셔야 된다는 게, 조직의 전언입니다. 당장 당신의 능력을 사용할 수 있다면 더 좋고요. 가능한한 빨리 움직여 주시죠."
"어… 그러니까,"

민서는 차마 답을 하지는 못했다. 시간은 오전 11시. 얼마 안 있으면 아르바이트를 갈 시간이다. 송일우가 말했다.

"저 역시 잘은 모릅니다만. 조직에서 하는 일의 대부분은 보상이 확실한 편이라고 합니다. 당장 저만 하더라도 조직을 위해 점퍼로서 일하는 것만으로 이전까지의 행적에 대해서 잊고 고용해주겠다는 투로 이야기를 해서 이러고 있는 거기도 하고."

정상적인 삶으로 돌아갈 길이 없다면, 송일우같은 이들은 더욱더 범죄나 혹은 손쉽게 삶을 망치면서 살아갈 테지만, 주변에서 도움을 주고 다시 사회에 적응하며 살 수 있도록 해준다면 또 돌이켜 볼만했다. 가능성이 있다면 얼마든지 골라볼만한 선택지였다. 일상적이고 위험하지 않은 삶이란 말이다.

사회적인 제도에서 비슷한 모습을 보자면 사법거래로 형량을 줄여주는 일이나 마찬가지였다. 조직은 사법기관도 아니었고, 송일우 역시 정상적인 재판을 받은 적은 없었지만.

일우가 덧붙인다.

"계약 상에 문제가 되는게 아니라면, 아르바이트 역시 당분간 조직의 일에 전념하는 걸로 바꾸시죠. 아마 적당한 인력을 구해서 업장에는 보내 둘 겁니다. 그리고 일반적인 아르바이트보다는 훨씬 고소득을 보장할 테고요."

민서가 눈을 멀뚱히 뜬 채 그를 바라보자 송일우가 내민 것이 있었다. 짧막한 계약서였다.

연구 협조, 근로 계약서.

라는 이름으로 이런저런 내용들이 써있다. 그리 길지 않은 내용으로 이루어져 있었고, 그가 아르바이트를 하는 시간보다 훨씬 적은 시간을 의무적으로 기지의 연구소에서 보내야 했다. 신체적, 정신적 손상이 갈 위험이 있다면 필히 본인에게 알리고 보험 또한 적용된다. 강제하는 것은 아니며 일상적인 수준에서 연구 활동에 도움을 주는 것만으로도 충분했다.

무엇보다 금액이 훌륭한 편이었다. 단적으로 말해서, 일하는 시간은 반으로 줄고 버는 돈은 2.5배 정도 되었다. 거대한 규모의 프로젝트에 참가하는 입장에서, 사소한 금액일지 몰랐지만 민서에게는 다가오는 의미가 달랐다. 어차피 중요한 일들은 연구부의 박사들이 힐 테였고. 민서가 할 일이라곤 그들의 지시에 따라 간단한 실험을 돕는 것 뿐이었다.

그는 그가 모르는 내용의 일들로 인해 막대한 돈을 취할 생각까지는 없었다. 그가 고개를 끄덕인다.

"이런 꿀 알바를."

물론 살아있는 재밍 장치, 라는 것이 구체화되었을 때 어떤 종류의 일을 하게 될 지는 명시되지 않았다. 계약서에 있는 내용은 연구부와 관련한 일 뿐이다. 뭐, 조직에 있어서 조금 더 힘을 쏟고 고생을 한다고 해도 나쁠 일은 없으리라. 애초에 시간이 지나서 그

집단에서 일을 하게 되는 것도 괜찮겠다, 하던 참이었다. 돈도 많은 곳이었고.

대강의 상황은 인지했다. 당장 기지로 가서 뭘 시킬 지는 모르겠지만. 두고 보면 알 일이리라. 그가 알고 있는 홍인수나 김만철 같은 이들이 그에게 대놓고 부당한 짓거리를 시킬 것 같지는 않았다. 상황이 급박하지 않다면 쉬엄쉬엄 할 수도 있겠지.

민서는 동의의 의미로 일우에게 손을 내밀었다. 송일우는 그를 바라보곤 마주 잡았다.

단체 도약에는 신체의 접촉, 혹은 그에 준하는 근거리가 필요했다. 정확히는 손을 이용한 터치가 유효했다.

송일우는 그대로 도약을 시도한다. 익숙한 작은 소리와 함께 그들이 빌딩 옥상에서 사라졌다.

*

홍인수는 먼저 말했다.

"옷 벗으시죠."
"예?"

김민서는 그게 무슨 미친 소리냐는 표정으로 반문했다. 홍인수는 알다 보면 성격이 좀 급한 인간이고, 때때로 조직의 일과 관련된 데서 말이 짧아지는 경우가 있었다. 그러니까, 상세한 설명이 부족한 경우들이.

"아, 겉옷 벗고 연구소 가운 걸치라는 말입니다. 잘 왔습니다. 확실한 상태를 모르니 급하게 되는군요. 만약 당신의 능력이 즉시 개화 가능한 종류라면 당장 조직 내 피곤한 인원들의 고생을 좀 덜어줄 수 있을 것 같습니다."

그들은 스위스에 있었다. 조직의 본부, 기지와는 다른 곳이었다. 점퍼 조직이 협약을 맺고 도움을 주고 받는 단체는 세계 각국에 퍼져 있었다. 이곳은 그 중 하나인, 물리학 연구소였다.

연구소라면 으레 그래야 한다는 듯 흰 톤의 인테리어가 인상적이다. 전체적으로 기지 본부와도 얼추 비슷해 보이는 느낌이었다. 다만 기지에 있을 때와는 다르게, 외부와 환기가 원활하고 바깥으로 통하는 문과 창문이 여러개 있었다.

북반구의 쌀쌀한 추위가 느껴지는 듯도 하다. 봄이라지만, 확연히 서울보다는 추운 날씨였다. 굳이 따지자면 아직 겨울의 추위가 다 녹지 않은 3월 정도의 날씨.

개방적인 건물의 형태는 멀리로 경치를 구경하기에 용이했다. 연구소는 도심과는 다소 거리가 떨어진 곳에 지어져 있어서 멀리로 스위스의 자연 경관을 구경할 수 있다. 볕이 잘 드는 구조로 지어진 연구실은 내부에서도 일조량이 풍부한 편일 듯했다. 다만, 한국 시간으로 늦은 오전이었던 그들이 도착한 때는 캄캄한 새벽녘이었다.

민서는 주섬주섬, 홍인수가 건네는 가운을 걸쳤다. 봄옷으로 입고 있던 가벼운 셔츠는 벗었다. 이곳은 정확히 어디인가. 말로는 어딘가의 연구소와 자주 교류하고 있다고 했었으나 실제로 그가 와본 것은 처음이었다.

송일우가 기지 본부로의 직접 도약이 불가능하기에 어느 다른 곳이라고는 생각했지만, 한국과는 이질감이 큰 관경에 적응하기 위한 시간이 필요한 건 어쩔 수 없었다.

송일우와 김민서는 스위스 베른 근처 어디에 지어진 연구소 내부로 바로 점프 해왔고, 그 자리에 있던 홍인수가 기다렸다는 듯이 말을 건 상황이었다.

주변에는 홍인수 외에도 여러 명의 연구소 인원들이 있었다. 물론, 민서로서는 말을 붙이기도 어려워 보이는 북반구의 유럽인들이었다. 스위스가… 영어 말고 다른 말을 하던가? 민서는 속으로 고민했으나 직원들은 익숙하게 영어로 말을 걸어왔다.

이야기가 길어지면 알아듣기 어려우나 간단한 문장 정도는 그도 이해했다. 홍인수는 아주 익숙하다는 듯이 그들과 대화를 하고 있었고. ′jump…′ ′mutant…′ ′uniqe…′ 들었다고 하기에는 민망한 길이였지만 그들끼리 이런저런 이야기를 나눈다.

민서는 자리에 선 채 가만히 있었다. 송일우도 별 관련은 없는 사람처럼 적극적인 자세는 아니었다. 홍인수가 얼마간 이야기를 하다가 생각났다는 듯이 그를 돌아보았다.

″아, 미안합니다. 당신을 세워 놓고. 일단 컨디션은 괜찮습니까?

뭐 안 좋아봤자 별 수 없지만. 대단한 걸 시킬 건 아닙니다. 그냥 간단하게 작은 룸 안에서 뇌파 검사 같은 거 하고, 채혈 좀 하고, 신체 검사 좀 하고, 점프와 관련된 반응 검사 좀 할 겁니다."

간단할지는 모르겠다. 말하는 투를 들어보면 크게 어려울 건 없어 보인다. 민서는 대강 고개를 끄덕였다. 이곳에 말이 통할만한 인간은 이 양반뿐인 건가? 민서가 궁금증을 담은 눈으로 주위를 둘러볼 때 한국말로 누군가 인사를 했다.

"여. 김민서 씨. 이런 데서 보게 되는군요."
"스미스Smith."

제법 익숙한 얼굴이었다. 홍인수와 김만철을 제외하면 그가 조직에서 가장 친숙한 낯이기도 하다. 조직의 기지에 처음 왔을 때, 마주친 인물이었다.

비교적 삭은 키에 어린 티가 나는 농안. 짓궂은 표정이 잘 어울리는 사내였다. 잘못 착각하면, 학생이라고 볼 수도 있을 법한 한국인이었다. 스미스가 말했다.

"기지에 없으면 나는 주로 이곳에서 죽치고 있습니다. 내 일터에서 보게 된 것 같아서 반갑네요."

연구소의 그리 넓지 않은 방. 스미스가 그에게 악수를 청해왔다. 민서는 그 손을 마주 잡고 작게 흔들었다. 기지의 방을 모방한 것 같이 깔끔하고 별다른 구조물이 없는 실내다. 바닥에는 붉은색으로 둥그런 지점을 표시해둔 게 있었는데, 민서와 일우가 정확히 그 위로 도약을 해왔다.

조직의 기지에도 연구소 시설은 있지만, 대형 장비가 필요한 물리 실험 따위를 모두 그 안에서 할 수는 없었다. 가능한 만큼은 기지 내에서 하고 있었고, 상세하고 본격적인 실험은 조직 외부의 협력 단체에서 직접 시행하고 있다.

스미스는 조직의 연구부 소속의 책임자로서, 기지와 세계 각국의 연구소들을 돌아다니면서 정보를 공유하고 실험 결과를 전달받는다. 단순히 데이터로도 가능한 일이었지만, 점프가 가능하다는 점에서 뛰어난 학자들이 거리와 상관없이 연구소를 오가며 지식을 교류하는 건 제법 효율이 괜찮은 일이었다.

머릿속에 있는 지식을 데이터화 시켜서 주고받고, 다시 그 의견을 정리해서 나누고 하는 데는 아무래도 시간이 걸리는 법이었다. 점퍼와 관련된 연구는 시간이나 공간적 제약이 많이 허물어진 상태에서 이루어진다. 그리고 그런 점들이, 관련한 연구자들의 의욕을 고취 시키는 점이기도 했고.

"이제 자주 보게 될 것 같은데, 이참에 이름을 알려드리죠. 송경태입니다. 내 이름은."

악수를 하는 중에 스미스가 말했다. 김민서는 그의 이름을 처음 들었다. 그가 조직의 기지를 오가면서 많은 시간을 보냈지만 조직원들과 교류를 나눈 건 지극히 제한적인 일이었다. 보통, 아침에 홍인수가 약속된 장소로 오면 같이 기지로 이동한 뒤 바로 훈련실에 처박힌다.

그대로 몇 시간을 구르고 나서 식사를 하고, 조금 쉬었다 싶으면 다시 구기 종목의 공이랑 비슷한 꼴이 되어서 튀겨지고 굴려지다가 하루를 마무리하는 것이다. 그가 기지에서 보는 장소는 기지 내 점퍼들의 출입구처럼 쓰이는 하얀 방, 그리고 훈련실, 식당과 기지에서 내 준 작은 원 룸이 끝이었다.

김만철과 홍인수를 제외하고는 몇 마디 이상 이야기를 나눠 본 이가 거의 없었다. 보통 김민서를 바라보고 약간은 애처로운 눈빛을 하고는 지나가기 일쑤다. 그 역시 누군가에게 먼저 말을 거는 성격은 아니었고.

스미스는 별다른 일이 없고, 기지 내 인원이 일정 비율 이하로 떨어지지 않으면 보통 연구부 건물에 처박혀서 나오지 않는다. 처음 기지에 와서 본 것, 그 이후에 훈련실에 찾아와서 짧은 이야기를 나눈 것 이후 세 번째 만남이었다.

제대로 된 통성명은 이번이 처음이다.

"아, 예. 반갑습니다."

새삼스럽게 반갑다는 말이 맞는가, 에 대해서 고민하며 김민서가 이야기했다. 송경태는 씨익 웃어 보이며 손을 붕붕 흔들었다. 뒤에서 한참 이야기하던 홍인수가 말한다.

"김민서 씨. 지금 움직이시죠. 얘기는 얼추 들었죠? 일단 평일 오후 시간은 직접 여기 오셔서 연구에 협조해주셔야 합니다."

홍인수의 말에 그가 고개를 끄덕였다. 그리고 그의 인도에 따라 방을 나선다. 실내에 있던 다른 서양인 연구자들도 같이었다.

송일우는 굳이 따라오지 않았다. 그는 다른 이들이 방에서 나서는 걸 지켜보고, 조용히 그들이 도착한 붉은 포인트 위로 자리를 옮겼다. 반경 30cm 정도 되는 원형의 표시였다. 정확한 좌표를 기억해 두었다가, 연구소를 점퍼들이 오갈 때 사용하는 위치이다. 점퍼들도 나름대로 편했고, 연구소 내 인원들이 그들을 맞이할 때 유용했다.

후욱, 하고 송일우는 다시 점프를 이용해 이동했다.

＊

김민서는 이래저래 탈탈 털렸다.

분명 그렇게 어려운 일들은 아니었다. 하나하나를 두고 보면 말이다. 연구소에서 쏼라쏼라, 알아듣기도 어려운 전문 용어를 영어로 지껄이는 실험자들의 사이에서 그는 가운을 걸친 채 이리저리 움직였다.

그냥 평범한 신체 검사같은 것도 했다가, 피도 약간 뽑았다가, 이런저런 줄이 달린 패치 따위를 머리나 상체 이곳저곳에 붙이고 실험실에 들어가 앉아 있기도 했다.

홍인수나 스미스, 송경태가 번역을 해주는 지시 사항대로 기계적으로 움직이는 것의 반복이었다. "이곳을 보십시오." "앞에 보이는 붉은 포인트에 집중하십시오." "의식적으로 아무 생각도 하지 마십시오." "단체 도약을 거절 할 때의 요령을 반복하시오."…짧막한 이야기들이었으나 쉼 없이 반복되었다. 그럴 때마다 유리창 너머의 인원들이 흰 가운들을 걸쳐 입고, 파일철 따위나 이런저런 서류, 태블릿 pc를 들고 분주하게 반응했다.

무슨 일이 일어나는 건지는 피실험자의 입장에서는 잘 알 수 없었다. 대부분은 아마 반응 실험에 가까운 것 같았다. 다양한 조건들, 그가 의식적으로 발현 가능한 상태에서 특이한 요소나 힘이 발생하는가. 외부 요인으로 그들이 찾고자 하는 점프 에너지에 대한 특이 반응이 발생하는가.

귀찮은 친구의 심부름이나 집요하게 졸라대는 소리에 간신히 몸을 움직이는 것처럼 움직였다. 어느 정도 운동도 섞여 있었다. 신체적 상태에 따른 정신의 변화와, 또 그에 상응하는 뇌파의 변화를 관측하기 위해서라고 했다.

점심 즈음 시작한 실험은 쉬지도 않고 내리 두, 세 시간을 이어져서 이루어졌다. 어느 정도 그가 혼자서 움직이는 게 끝나사 중산부터는 홍인수가 들어와서 그의 앞에서 난리를 피우기 시작했다. 이리 번쩍, 저리 번쩍. 다양한 위치와 상황에서 그를 중심으로 도약을 시도한다. 그럴 때마다 다양한 조건을 그에게 부여하며 점프에 영향을 발휘하는지 보았다.

다양한 실험들의 결과는, 그들로서는 꽤나 성공적이었다. 크나큰, 혹은 유의미한 실전적 변화는 없었으나 연구자들의 데이터상으로는 막대한 가능성이었다. 김민서라는 요인으로 점프에 분명한 변화가 생겼으니 말이다.

그들이 여태까지의 현상을 토대로 세운 가설은 실험으로 거의 증명이 되었다. 김민서는 점프 에너지에 일반적인 사람들보다 더 적극적으로 개입 가능한 키를 가진 인물이었다. 그것은 점퍼가 그에게 밀착한 상태가 아닐 때에도, 그의 의지나 정신 상태에 따라 발현이 된다. 대체로 탈력적인 상태일 때 미상의 효과, 임시로 ME(Minseo Effect)가 발현되는 것 같았다. 그가 듣기에도, 과히 좋지 않은 어감이었다. 한국에 살던 평범한 청년의 이름을 따서 진지한 얼굴로 연구자들이 민서 이펙트, 민쉬 이펙트, 이러면서 중얼거리고 있다니. 그가 중학교 2학년 때도 이런 괴랄한 상상은 한 적이 없었다.

다 커서 현실로 겪기에는 낯뜨거운 상황이었다. 아무튼 그는 그런 낯뜨거움을 짐짓 감춘 채 태연한 척을 했다. 홍인수는 가깝게 지내다 보면 가끔 쓸데없는 장난기가 발동되는 인간이라, 유달리 그의 앞에서 ME를 길게 발음하며 웃었다. 훈련을 할 때도 가끔 자신을 상대로 스트레스를 풀고 있지 않은가, 의심이 들 때가 있는 양반이었다.

어쨌든 연구자들에게 ME는 획기적인 발견이었던 모양이다. 그가 멍 때리고 아무 생각도 하지 않고 있을 때, 마치 자석에 철이 이끌리듯 강력한 편향성이 나타났다. 눈에 보일 정도로 확연한 방향의 전환이었다.

다양한 상태를 오가면서 시험을 하다가, 민서가 뇌파적으로도 얕고 평안한 상태를 유지하고 있을 때 홍인수가 점프를 시도했다. 원래 계획된 방향과 가상의 도약선은 실험실의 외부에서, 민서의 오른쪽을 지나쳐서 실험실 끄트머리에 나타나는 것이었다. 결과적으로 그의 도약은 오차를 일으켰다. 직선이 곡선으로 휘듯이 그의 점프가 민서 쪽으로 틀어졌다. 가상의 도약선을 그린다면, 그 도착지에 해당되는 말단 부분이 민서가 있는 쪽, 안쪽으로 굽었다.

자신이 의도한 것보다 약 십 여 cm의 오차가 있는 상태로 도약을 하고 나서 홍인수의 표정은 볼만했다. 섬세한 점프를 위해서 심혈을 기울였던 그의 훈련의 날들이 저 멀리로 지나가는 느낌이었다. 이 정도의 오차라면 급박한 근접전 상황에서는 목숨이 오갈 수 있는 차이였다. 총탄이 날아다니는 전장이라면 말할 것도 없었고.

이 정도의 위력으로 조직의 수뇌부가 바랐던 점퍼들의 통제기, 살아 있는 재밍 장치로서의 효과는 바랄 수 없었지만 충분한 가능성은 볼 수 있었다. 그리고 실증적으로, 이전에 홍인수가 일으켰던 뺑소니가 민서의 특이 체질에 의한 것이라는 이론이 설득력을 더 얻었다. 당시에 홍인수는 적어도, 민서의 원룸에서 수십 km는 떨어진 자리로 도약을 하고 있었다. 서울 내라는 것 외에는 겹치는 점이 없었는데도 그렇게 크나큰 오류가 일어났다는 건, 민서의 체질이 점퍼들을 상대로라면 전략 무기처럼 쓰일 수 있다는 상상까지도 이어진다.

'멍 때리기'가 그러한 특이 체질의 발현의 키라면, 당시의 이 자식은 대체 얼마나 멍을 때리고 있었던 것인가… 라고 홍인수는 잠시 생각했다. 불현듯 민서를 바라보던 그의 눈빛이 살짝 한심함을 담았다. 김민서는 강한 공격에는 반응이 없는 편이었지만, 그런 사소한 눈빛에 민감한 편이었다. "뭡니까." 하고, 민서가 퉁명스럽게 물었다. 홍인수는 아무것도 아니라는 듯 작게 고개를 흔들었다.

"사실 정신력이 굉장히 강한 편이신가 봅니다?"

마지못해 반어법으로 홍인수가 달랬다. 김민서는 왜인지 그런 내용의 눈빛이 아니었던 걸 확신했으므로 투덜거렸다.

"거… 이런 투로 앞으로 계속 반복하면 되는 겁니까? 대충 기한은 있어요?"

당일의 실험은 일단 끝이 났다. 민서는 아직도 가운을 입은 채, 탈부착 가능한 패치를 붙였던 자리를 문지르며 말한다. 내부가 보이는 실험실의 바깥으로 나온 상황이었다. 홍인수와 김민서를 제외한 실질적인 연구 인원들은 실험 결과를 가지고 무언가 볼 것들이 있는지, 자기들끼리 열성적으로 이야기를 나누고 있었다.

중간중간 몇 개의 단어 정도는 들리지만 여전히 알아 먹을 수는 없는 대화였다. 사실 한국말로 치환을 한다고 해도 그가 알아 들을 거라는 보장이 없었다. 그는 중간에 공부를 관둔 기계공학 학부생일 뿐이었으니.

민서의 말에 홍인수가 고개를 주억거리며 답했다.

"아마도. 크게 별달리 하는 건 없을 겁니다. 이 정도로만 해도 충분할테니. 저쪽에서 확실한 실험 데이터가 나오면 뭐 결과 값을 뽑아내기 위해서 일정한 상태를 강요하긴 할텐데…. 같이 확인했듯이 그 상태가 '멍 때리는' 거라면 당신이 괴로울 일은 없지 않겠습니까."

멍 때리는 것에도 강도가 있는지는 알 수 없었으나, 동일한 상태에서 그들이 원하는 효과가 발현된다면 이제부터의 실험은 정신적인 탈력 상태를 유도하는 것에 집중될 테였다.

그들이 잠시 한 눈을 판 사이에, 다른 인원들은 어느덧 실험실을 떠났다. 시끄럽게 떠들던 외국인들과 송경태는 대화인지 토론인지 모를 것을 멈추지 않으면서 자리를 벗어났다. 홍인수와 김민서만 덩그러니 내부에 남아 있었다. 연구소는 어디를 가던, 비슷비슷한 인테리어였다.

홍인수가 이야기했다.

"뭐, 일단 마쳤고 밥이라도 먹겠습니까? 여기 연구소에도 식당은 있습니다. 아마 실험 끝나고서… 이른 아침을 먹는 게 일과가 되겠네요."

몇 시간의 실험이 끝나고 나자 동이 터오고 있었다. 어둡던 사위가 밝은 아침의 햇살로 빛으로 채워진다. 민서는 한국의 시간으로 생활하고 있었으므로, 피곤할 것도 없었으나 괜시리 밤을 샌 것 같은 느낌이 들었다.

어째 점퍼들과의 만남은 비슷한 루틴으로 진행되는 것 같다, 고 생각하며 민서는 고개를 끄덕거렸다. 밥 먹자고 일하는 것도 맞았다. 확실히 서둘러서 진행되는 일 가운데 점심도 못 먹은 채 이러고 있었다. 배가 고프다.

"스위스 연구소에서는 밥이 뭘로 나옵니까?"

민서가 물었다. 홍인수가 고개를 갸우뚱 젖히며 말했다.

"어… 그냥 양식 나옵니다. 본부보다는 맛이 없습니다."
"…"

확실히, 기지 본부는 어지간한 레스토랑보다 뛰어난 퀄리티를 자랑했다. 민서가 조직에서 좀 더 일을 해볼까, 하는 생각을 가졌던 원인들 중 하나이기도 했다. 본부의 밥은.

*

주중에는 스위스의 연구소에서 일을 한다. 정확히 말하자면, 일이 아니라 실험 대상이 되어서 결론적인 의미는 알기 어려운 반복 동작을 한다. 한 두세 시간 정도를 내리.

편의점에서 아르바이트를 하는 것보다는 훨씬 나은 처지임이 분명했다. 그리 어려운 동작들도 아니었고, 상태도 아니었다. 그에게 괴로움을 유발하는 상황도 없었고, 신체적인 고통이나 후유증이 남는 실험도 아니었다. 그가 일반적으로 움직일 수 있는 가동 범위를 벗어나지 않는 신체적, 정신적 운동의 연속이었다.

조직과 연관된 단체들의 기조는 크게 범죄적인 분위기를 띠지는 않았다. 굳이 부정형으로 말을 아끼는 점은, 민서로서 조직과 그에 관련된 모든 단체들의 속사정을 알 수 없었기 때문이었다. 그가 보지 못하는 실전적이고 급박한 모든 상황 가운데 어떤 일들이 있을지는 몰랐다. 그러나 적어도, 그가 보고 관련되는 이들은 사회적인 상식선을 넘어서지 않는 자들이었다.

세계적으로 메이저라 불릴 만한 단체들과 협약을 맺고 움직이는 이들이라 그럴지도 몰랐다. 다양한 선진국의 국가 수뇌부나, 혹은 그에 준하는 최첨단 기술 단체들. 이 정도의 네트워크를 가진 이들이 악의적으로 힘을 쓰고 상식에서 벗어난다면 세상은 분명 순식간에 초토화될 테였다. 점퍼가 개인으로서 벌일 수 있는 범죄의 한계는, 점퍼 외의 인간적인 능력의 부족이었는데, 이 정도로 주요 단체들과 긴밀한 관계를 맺는다면 각국의 중요 시설 따위에 대한 접근은 아주 쉬울 테다.

그런 흐름에서, 민서가 겪는 연구소 내의 분위기도 비교적 인도적인 부분을 무시하지 않는 수준이었다. 그 또한 공학도였고 이과생이었으며, 넓게 보자면 과학의 한 가지를 파고드는 학부생(전)이었지만 영화 따위에서 나오는 미치광이 과학자들의 분위기는 아니었다. 물론, 가끔 아주 사회성이 부족한 듯 구는 괴짜들은 많이 있었다. 그를 눈앞에 두고 약간은 돌아간 듯한 눈깔로 데이터 따위를 훑어보며 끊임없이 혼자 중얼거리는 사내도 있었다. 아마 이름이 ′조엘 왓슨′이라고 하는 금발의 미국인 청년이었다.

어쨌거나 그는 현재의 상황에 나름대로 만족을 했다. 그는 정확히 이해하지 못했으나 나름대로 조직에 도움이 되는 것 같았고, 특이 체질을 활용해서 생활비도 벌고 규칙적인 삶을 보내고 있었으니 말이다.

어쨌거나 매일 점심에 스위스로 출근을 해서 돌아오는 일과는 그의 감성에도 긍정적인 자극을 주는 편이었다. 서울보다는 춥지만 공기가 맑은(것 같은 느낌이 든다)곳에서 좋은 풍광을 바라보며 휴식을 취하곤 했다. 실험 시간의 전, 후로 말이다. 연구소에서 제공되는 식사도 썩 나쁘지 않은 퀄리티였다. 중간에 점심이 제공되는 일자리라니. 하는 일에 비하면 수당도 아주 좋다.

그는 그런 주중을 보내고 주말에는 어디인지 모를 조직의 본부

기지로 이동했다.

매일 토요일 아침이 되면 홍인수가 그를 맞이한다. 약속한 집 앞의 장소에 나와 있는 홍인수를 보고, 짤막한 인사를 건네며 악수를 하고 나면 순식간에 기지 안이었다. 매일같이 점프로 지구촌을 돌아다니니 왜인지, 아주 중요한 인물이 된 것 같은 기분도 들었다. 기분은 중요한 법이었다. 어쨌거나, 살아가는데 그럴듯한 기분이 든다면 좋지 않은가. 무료한 삶에 재미도 더해지고.

주말의 훈련은 익숙해지기까지 시간이 좀 걸리는 부류의 일이었다. 그가 정작 하는 일은 많지 않았다. 기초 체력의 단련이야, 김만철의 지시에 따라서 하기는 하지만. 일종의 PT를 끊어서 받는다고 생각하면 무료로 체력 관리도 해주니 호화스러운 처지였다. 물론 그 전에 홍인수를 비롯해 조직의 근접 전투 요원들에게 당하는 대련 훈련은 강도가 지독했지만.

김민서 자신도 체력적으로 그렇게, 최악의 조건까지는 아니라고 늘상 생각을 했지만 조직의 전투원들은 사는 세계가 다른 이들이었다. 어딘가에서 대체 어떤 험악한 임무를 하기에 그 정도의 신체 능력이 필요한지는 알 수 없었다. 다만 그의 무지한 눈으로 보더라도 일반인의 수준은 아니었다. 적어도 수년간 전업으로 운동을 삼은 엘리트 운동인들의 수준은 되었다. 그것이 최소한이었다.

거기다 각종 실전형의 비기나, 점프 능력 따위를 섞으면 김민서는 변변찮은 반항도 할 수 없었다. 홍인수가 가르치는 전투법은 스파르타 식보다도 조금 더 가차없는 편이었다. 아주 단편적인 팁을 사막에서 물을 발견하는 수준으로 가끔 주는 걸 제외하고는, 맞으면서 체감하라는 식으로 일정한 기술을 계속 반복해서 걸었다.

44

대련에는 별다른 제약이나 제한이 없었다. 김민서가 할 수만 있다면, 시간 내에 홍인수에게 기술을 걸어서 넘기고 조금 더 진도를 넘어갈 수 있었다. 김민서 역시, 지지부진한 걸 바라진 않았기에 갖은 애를 써가며 그에게 한 방을 먹이려 힘을 다했다.

프로 복서라고 하더라도 근접전에서 마구잡이로 휘두르면 한 대가 스치기는 할테인데, 홍인수는 조금 더 상대하기에 질이 좋지 않았다. 그의 눈에는 여전히 초인적이라고까지 보이는 움직임을 보이는 데다 타이밍이 안 좋아진다 싶으면 점프를 사용하는데 거리낌이 없었다. '비점퍼'에 '비전투요원'을 상대로 하기에는 지나치게 전력을 다하는 모습이다. 그런 점에서 민서는 그가 스트레스를 풀고 있는 게 아닌가, 생각했지만 실전에서의 생존률을 높이기 위해서라는 대답만이 돌아온다.

나름대로, 삶은 즐거웠다.

김민서가 느끼기에 말이다. 의욕 없이 방바닥에 늘어져 있는 삶이 그가 원한 것은 아니었다. 뭐라도 하고, 뭐라도 움직이는 것을 당연히 바란다. 마땅한 계기가 없을 뿐이었고, 열정에 태울 만한 재료가 없었던 것뿐이다. 조직과의 만남은 비상식적인 충격을 그에게 주었지만, 그가 이해하는 생활적인 면에서는, 나름의 긍정성을 선사했다. 어쨌건 운동을 하고 나면 정신이건 기분이건 맑아지기는 하는 법이다.

대부분의 대련 시간 중에 그가 하는 건 처맞고 날아가는 것이었지만, 의외로 그것도 몇 시간을 쉬지 않고 하다 보면 지독한 운동이 된다. 보호구를 악착같이 끼고 있다고 해도 사람의 본능 수준에서 반격을 하기 위해 움직이는 것도 상당한 소모였고 말이다.

그렇게 한 삼 주 여가 지났다. 5월 23일. 월요일의 일이었다.

***

김민서, 를 피실험체로 한 연구는 나름대로 진전이 있었다. 그는 자신도 몰랐던 자신의 재능을 어느 정도, 의식적으로 사용할 수 있는 상태에 이르기까지 했다. 요령은 결국 '단체 도약의 거절'과 같았다. 머릿속에 가상의 컴퓨터 따위를 상상하면 조금 더 편리하다. 가상의 기계에 유효한 입력 장치로 정해진 코드를 입력하면 되는 일이다.

원리는 그러했고, 그것에 쓰이는 코드가 다소 난해하다는 점에 있어서는 여전히 정확한 조절은 어려웠지만 말이다. '멍 때리는' 상태를 의식적으로 만든다는 게 생각보다 쉬운 일은 아니었다. 물리적으로도 힘을 빼는 동작은 여러 동작 중 가장 어려운 축에 속한다. 힘을 빼려고 의식을 하면 할수록, 해당 부위에는 힘이 들어가게 마련이다. 일시적인 것도 아니고, 장시간 유지를 하려면 더욱 그러하다.

김민서는 스스로에게 자신을 멍 때리기의 천재라고 세뇌시켰다.

"후."

짧은 숨을 불어 쉰다. 머릿속을 비운다. 사실 전혀 비워지지는 않는다. 요령은 그것이었다. 멍 때리기의 반대 상태를 극한으로 하

46

고야 마는 것. 곧, 온갖 잡생각과 스트레스가 들만큼의 과도한 정신 상태를 유지하는 것이다. 그러고 나면, 극렬한 운동 후에 반사적으로 몸에 힘이 빠지는 것처럼 탈력적인 상태를 유지하기에 쉬웠다.

다행히 김민서는 평소에도 생각이 많은 편이다. 생각이 없어 보이는 얼굴이나 표정을 하고 있지만, 본능적으로 스트레스를 피하기 위한 방어 기제에 가까웠다. 그는 다양한 고민들의 끈을 놓지 않고, 누군가에게 말하며 해소하지 않고 혼자서 답을 찾는 편이었다. 때로는 답을 찾을 때도 있었지만, 때때로 여러 문제들은 그의 머릿속에 깊은 자국처럼 남아서 정신력을 갉아 먹었다.

그에게 찾아오는 탈력감과 정신적인 무기력의 상태는 그런 고민들의 반작용이었다.

민서는 그런 반작용을 적극적으로 이용하기로 했다. 정신적으로 뇌파가 안정적인 상태일 때, 일정한 상태를 유지할 때 반대급부로 타인의 점프 현상에는 강력한 위력을 발휘한다고 한다. 그는 자신이 어떤 위력적인 힘을 행사할 수 있다면 그 끝을 확인해보고 싶은 생각도 있었다. 그것이 파괴적인 종류의 것이 아니라면야. 그리고 그 한계를 찾아서 유용하게 써먹을 수 있는 종류의 것이라면야 말이다.

실험은 여느 날처럼 스위스의 연구소에서 지속되었다. 다만 시간은 조금 늦은 때였다. 한국 시간으로. 평소에 한국 시간으로 점심 무렵에 시작해서 오후 2, 3시 쯤 끝나는 실험은 연구소의 시점으로는 새벽녘에 시작해서 아침 무렵에 끝이 난다. 오늘의 실험은 쉬는 시간을 갖고 이후까지 이어졌기에 스위스의 시간으로 늦은 아침, 오전까지 진행되었다.

정규적인 계약 상의 연구 협조 시간 외의 일이었다. 그것은 그가 찾아가던 일정한 탈력 상태에 탄력이 붙었기 때문이기도 하다. 그가 발휘하는 점프에 대한 영향력이 더욱 커졌기에, 연구소의 인원들이 그에게 지속적인 협조를 부탁했기 때문이었다. 물론, 시간 외 수당도 조직으로부터 약속받았다. 그저 그런 규모의 돈을 받던 편의점 아르바이트보다는, 훨씬 나은 취급이었다.

주에 15시간을 할애해서 월에 400만 원 정도의 급여를 받는 계약이었다. 시간 외 수당은 그가 피실험체로서 겪을 피로도와 집중력의 소모를 감안해, 그보다 조금 더 높은 시급으로 책정되었다. 민서로서는 일할 맛이 나는 상황이었다.

실험실의 내부. 여느 때와 같이 앉는 자리였다. 흰 방에 격자무늬로 얇은 줄이 나 있었고, 그 외에는 별다른 가구가 없다. 하얗고 넓은 실내. 김민서의 시야에서 앉은 자리 정면은 벽의 거의 전체가 넓은 통유리로 되어 있었다. 보기에는 유리지만, 물론 다양한 실험 상황에 대비해서 아주 튼튼하게 지어져 있다. 아마 정면에서 소총을 쏴도 끄떡없을 테였다.

다른 벽과 천장은 모두 흰 바탕에 격자무늬뿐이다. 조금 좁게 쓰면 농구 경기라도 정식으로 할 수 있을 것 같은 크기다. 정사각형의 구조였고, 천장 역시 층고가 높아서 위를 쳐다 보면 아득한 느낌이 들었다. 그 한 가운데 덩그러니, 의자가 놓여 있었다. 별다른 특색이 없는 물건이었다. 어딘가 학교 강의실에 두어도 그다지 이질감이 없을 법한, 평범한 색깔의 의자.

연구용으로 쓰는 물건이니만큼 나름대로 내구성은 튼튼하겠지만, 생김새는 평범했다. 민서는 그 위에 앉아 있다. 그 안에서 정면을 바라보고, 여러가지 패치처럼 보이는 물건을 이마 부위에 붙이고 있었다. 머리에는 맨질맨질한 질감의 모자를 쓰고 있었고, 그 위로도 이상한 더듬이처럼 보이는 것들이 돋아나 있었다. 짧은 안테나 종류처럼도 보인다.

여느 때처럼 연구소에 오면 입게 되는 흰 가운을 걸치고, 안에는 평범한 푸른색 반팔 티와 청바지를 입고 있다. 그는 의자에 앉아 몸에 힘을 뺐다. 대부분의 경우, 신체의 상태와 정신은 연관을 갖게 된다. 신체적으로 괴로울 때, 정신 역시 스트레스를 받는다. 정신적인 일정한 상태를 유도하기 위해서는, 행동으로 먼저 유사한 방향을 유도해보면 효과가 있을 때가 많았다.

비슷한 이야기일지 모르겠지만, 연기론에도 나오는 이야기이다. 감정과 생각을 주도해서 행동을 이끌어 내는 메쏘드와 행동의 변화로 감정을 유도하는 접근법. 인간은 정신적인 존재임과 동시에 육체적인 존재이기도 하다. 감각이 곧 생각은 아니지만, 때로는 생각을 위해 감각을 사용해야 할 때도 있는 법이었다.

통창 너머의 바깥에서 웅성거리는 소리는 사실 잘 들리지 않는다. 내부로 연결된 스피커를 통해서 말할 때나 내용을 들을 뿐이었다. 직전에 마지막으로 들은 말은 '힘을 빼고 탈력 상태를 유지하라'였다. 민서는 지시에 충실했다. 그는 단락적인 집중에 최선을 다하는 편이었다. 좋은 말로 하면 순간순간에 열정적이라는 것이었고, 나쁜 말로 한다면 집중력의 지속이 길지 않았다.

현재 실험의 과제도 그런 것이었다. 일시적인 탈력 상태, 소위 멍 때리는 의식을 의도적으로 유도할 수 있다면 그다음은 그런 의식의 긴 유지였다. 오랜 시간 평이한 정신파를 유지할 수록 그가 주변의 점퍼들의 점프에 관여하는 영향력이 커져갔다. 실험의 데이터는 그 증가 폭이 기하급수적일 것이라는 결론을 도출했다. 곧 이론적으로, 김민서가 '멍 때리기'라고 인정되는 일정한 상태를 70일간 연속으로 유지할 수 있다면 ME라고 불릴 현상은 전 지구적인 범위를 덮게 된다.

전 세계에 어디에 있는 점퍼이든, 점프 에너지를 사용해서 도약을 하는 순간 그가 있는 위치를 향해 강력한 인력으로 이끌리게 되는 것이다. 에너지가 물리적인 것에 근간을 두는게 아닌 정신적인 상태에 따라 발생하는 종류였으므로, 한계 없이 늘어날 것을 상정한다면 일시에 지구상에 존재하는 모든 점퍼들을 소환할 수도 있어 보였다.

물론, 민서가 현재까지 유지 가능했던 탈력 상태의 기록은 초단위였다. 1분을 넘기는 것조차 지금으로선 요원한 일이다.

그는 익숙한 루틴으로 자신의 몰입 상태를 유도해갔다. 직전에는 온갖 복잡한 생각들을 떠오르는 대로 놔두고, 도리어 더 머릿속을 헝클어뜨렸다. 평소에 잘 의식하지 않던 고민까지도 들추어내서 자신의 내면을 자극했다. 다양한 종류의 스트레스와 두통이 머리를 잠식할 때쯤, 그 반대급부로 생각을 줄인다. 당장은 해결할 여지가 없는 다양한 고민들에 대해서, 그저 그렇게 놔두는 것이다. 일부러 자극한다고 해결이 되는 것도 아니고. 있는 그대로 둔다. 자신의 몸도, 머릿속의 생각도.

그렇게 현실을 인정하고 받아들이고 나면 제법 나쁘지 않은 현재가 눈에 보이게 된다. 그는 사지가 멀쩡했고, 두 부모님도 살아 계셨다. 곧장 그의 목덜미를 노리고 달려들 만한 원한을 산 적도 없었고, 빚쟁이가 그의 집 문을 부수고 들어올 걱정도 없었다. 고작해야, 앞날이 불투명할 뿐이었다. 그리고 그건 이 시대의 모든 동년배들이 똑같이 겪고 있는 고민이었다. 별 것 아니었다.

그런 식으로 묶인 줄을 풀듯이, 엉킨 실타래를 풀듯, 혹은 무겁게 들어 올렸던 바벨을 내려 놓듯이 생각의 속도를 천천히 늦춘다. 그러다 어느 지점이 되어서 별다른 생각을 하지 않게 되는 것이다. 운동을 하고 쉴 때가 있듯이, 생각 역시 마찬가지였다. 눈에 보이지 않는 스트레스라지만 그건 삶을 갉아 먹는 고통이었다. 스트레스가 문제의 해결을 위한 방안이 아니라면, 내려놓을 수도 있어야 했다.

의미 없는 고통을 자처한다고 반드시 상황이 해결되지는 않는다. 때로는 천천히 걷는 걸음이 훨씬 멀리 갈 때도 있는 법이다.

민서는 여전히 의자에 앉아 있었다. 자리는 변함이 없었지만 사고의 흐름은 먼 여행을 끝내고 돌아온 것처럼 큰 기승전결을 다루고 돌아왔다. 의식적으로 유지하던 신체적인 탈력 상태가 자극을 받는다. 좋은 쪽으로 말이다. 자연스럽게 힘이 빠진다. 몇 번의 한숨을 내쉬고 잠시 앉아 있어도 좋았다. 그는 평이한 신체적 흐름을 만들며 정신 역시 자연스러운 탈력 상태에 돌입했다.

까딱하면 잠에 들 수도 있는 처지였다. 조금만 의식을 깨우면서 바깥에서 말소리가 들릴 때까지 나름의 노력을 기울인다. 아마, 지금 이 상태로 계속 가는 것이 맞을 테였다.

*

    연구실의 외부에서는 다양한 소리들이 있었다. 소근대며 말하는 소리, 조금 더 키워서 토론하는 소리, 기침 소리나 분주하게 돌아다니는 발소리. 스마트 패드를 다루는 기척과 종이로 이루어진 서류를 만지는 소리. 그 사이에 흐르는 일정한 소리가 있다.

    실험실은 주임 연구자, 곧 연구소장의 취향에 따라 가끔 특이한 물건들이 있었다. 실험실을 두고 실험자들이 분주히 움직이는 공간에 흐르는 희미한 음악 소리도 그것 중 하나였다. '바하'의 선율 중 하나였다. '예수, 인간의 소망과 기쁨'이라는 클래시컬한 곡이었다. 잔잔하고 사람들에게 안정감을 주기 좋은 오케스트라의 연주. 결코 큰 음량은 아니었지만 미약하게 지속된다.

    소리의 의미는 '실험 잘 되고 있음'이라는 뜻이었다. 실험실 내부의 다양한 상황들 중, 조건에 맞추어 신호 따위를 실험자가 설정할 수 있었는데, 소장은 때때로 실험의 순항을 의미하는, 연구 중 의도하는 조건이나 상황이 제대로 유도되고 있을 때의 신호음으로 클래식 음악을 넣어 놓았다. 보통의 실험실이나 연구소에선, 비상 상황일 때 귀를 찌르는 듯한 사이렌 소리를 넣고는 말 뿐이었지만. 소장은 일일이 프로젝트 때마다 다양한 상황들을 감각적으로 인지할 수 있도록 분위기에 따른 BGM들을 선별해서 넣어 둔다.

    실험실에 있을 때의 과학도답지 않게, 여유를 잃지 않는 감성적인 인간이었다. 그리고 그런 분위기가 은연중에 연구소의 연구자들에게 부담을 덜어주고 그것이 올바른 창조성으로 인도된다고 믿는 편이기도 했다. 그것이 정말일지는 알 수 없었지만, 적어도 연구소 내의 분위기가 다른 곳에 비해서 부드러운 편이 있다는 건 사실이었다.

어딘가에 처박혀서 결과가 나올 때까지 몰두해야 하는 그들의 특성 상, 어느 정도의 발작은 막기 힘들었지만. 적어도 아주 심한 수준으로는 이상한 짓거리를 하지 않았다. 대개, 성격이 좋은 편이라고 표현해도 좋았다.

연구소장은 희끗한 금발을 하고 있는 장년과 노년 사이의 사내였다. 자주 부드러운 미소를 의식적으로라도 지어 보이곤 하는, 풍채가 좋은 남자다. 키는 홍인수보다 조금 작았으니, 180대의 키였고. '윌리엄 왓슨'이라는 미국인이다. 스위스의 주요 연구소의 책임자가 타국인이라는 것도 의외이기는 했으나, 그는 관련한 분야에 대체자가 없는 수준의 탁월한 학자였다. 기본적인 물리학 분야에서도 권위자 중 하나였으며, 특히 '점퍼'들과 얽힌 부분에서는 가장 뛰어난 통찰력을 보이는 사내였다. 훌륭한 설비를 갖춘 최고의 연구소에서 그를 스카웃했고, 자신의 연구를 도와줄 뛰어난 인프라를 원했던 그는 스위스에서 오랜 시간 헌신 중이다.

또한 필연적으로, '점퍼 조직'의 인원들과 가장 친분이 깊은 과학자이기도 했다.

윌리엄은 느긋한 미소를 지어 보이며 실험실의 가운데를 걸었다. 목적이 있는 걸음은 아니었고, 그 상황을 즐기듯이 천천히 같은 자리를 반복하는 움직임이었다. 결국 그가 듣는 것은 소리다. 이번에는 어디까지 지속 될 수 있을까. '김민서'라는 한국인 청년은 그의 연구 인생 후반에 중요한 키 포인트로 나타난 선물이었다. 가느다란 바늘 끝보다도 앞길이 보이지 않는 미지의 연구를 계속 해왔는

데, 뜬금없이 여태까지의 모든 연구에 변화를 줄 만큼 색다른 변인이 등장한 일이었다.

하나의 단서를 찾기 위해서 무수한 실험을 찾기 위해 걸어왔던 지난날을 생각해보면, JE에 대해서 더 알아낼 수 있는 뚜렷한 요소가 제 발로 다가오다니. 몇 개의 단계를 건너뛰고 시간을 아낄 수 있었던 걸지 짐작이 잘 가지 않는다.

실험의 세부 실무를 담당하는 부하들은 동분서주하지만, 그는 이 자체로 대개 만족스러운 상황이었다. 다들 맞춰서 입는 흰 가운을 걸친 채 천천히 움직이는 그에게 홍인수가 다가왔다.

"윌리엄 소장님. 실험의 속도는 예상보다 순항인 겁니까?"

홍인수는 그가 조직의 지휘관, 그리고 연구부의 책임자인 스미스 다음으로 많이 마주치는 사내였다. 윌리엄은 유달리 점퍼에 관련한 연구를 하면서 한국인들과 자주 교류를 하게 되었다. 그는 이 젊고 예의 바른 청년에게 웃으며 말했다.

"소드 마스터. 그렇다네. 애초에 앞길이 보이지 않는 과제였는데 저 친구가 나타난 이상 아무리 느려도 순항이지 않겠나. 나는 한 없이 긍정적으로 보고 있다네."
"호오."

소드마스터, 홍인수는 고개를 끄덕였다. 그리고 곧장 이어서 부인했다.

"그 별명은 쓰지 마시라니까요. 발음이 어려우면 데이브라고 부르세요."

그가 적당히, 자주 사용하곤 하는 영어식 이름이었다. '소드 마스터'라는 코드 네임은 대외적으로 불리기에는 다소 민망한 호칭이었다. 어린 시절에 장난감 칼을 들고 설칠 때도 아니고. 그는 그 이름이 얼마나 부담스러운 호칭인지를 잘 안다. 우스운 투의 농담기를 뺀다고 하더라도, 모든 임무에서 승리를 끌어내야 하는 근접전의 정복자라는 별명은 지나치게 무거운 칭호였다. 그는 그만큼 전능하지 못했고, 가진 모든 재능과 능력을 사용해도 고작 남들보다 더 잘 싸우는 정도였다.

그가 정말로 '마스터'였다면 여태까지의 전투에서 그의 손으로 놓친 범죄자, 테러범이 없었을 테였고 그가 있는 자리에서 임무 중 다친 동료들 또한 없었을 것이었다.

홍인수가 물었다.

"그래서… 전에 설명하신 대로 이 바하의 음악이 어디까지 연주가 되면 1차적인 목표에 달성하는 겁니까?"
"글쎄… 일단은 1분을 1차 목표로 보고 있네."

윌리엄이 답했다. 1분이라, 마지막으로 기록된 지속 시간이 34초였다. 물론 최근 들어서 계속 호전된 상세를 보이고, 오늘에 이르러 '김민서'가 최고의 집중력을 보이고는 있었지만 그 정도의 시간을 갈 수 있을까. 홍인수는 자문했다. 어차피 알 수 없는 질문이라 답을 할 수 없었다. 근육의 움직임이라면 이전까지의 것과 다음 운동이 긴밀한 상관 관계를 지닐테지만 정신력의 문제라면 몇 단계를 뛰어넘을 수도 있었다.

물론 운동만큼은 아니어도 이전 회차의 시도와 충분한 연관성을 보이기는 하지만 말이다.

선율은 늘 초반부의 고조를 넘지 못하고 끊어지고는 했다. 그렇게 튀는 음색이나, 음량이 아니어서 신경에 거슬리지는 않았지만. 반복되며 뚝뚝 멈추는 음악 자체에서 오는 애절함이 있었다.

정확히 말하면, 감질나는 기분이나 애가 타는 느낌일 것이다. 속시원하게 음악이 이어지려면 끝까지 갈 것이지…. 아름다운 음악이지만 실험에 대해 이해하지 못한 채 그 자리에서 소리만 듣고 있자면 인내심이 조금 필요한 작업이었다.

반면 윌리엄은 한 땀 한 땀, 음악을 빚어내는 장인처럼 그 과정에 조급함을 드러내지 않고 침착한 끈기를 가졌다. 음악은 완성될 것이다, 는 믿음을 갖고 말이다.

무조건적으로 민서의 탈력 상태의 유지가 이어져야만, 점프 에너지에 대한 해석이 이루어지고 지식의 발전이 있는 건 아니었다. 하지만 그들이 유도하는 대로 강력한 영향력을 가질 수 있다면 지금 연구자들이 느끼는 것보다 훨씬 더 많은 단계를 넘어갈 수 있는 것도 사실이다.

톡톡. 윌리엄을 제외한 연구자들은 모두 분주한 모습이다. 시시각각 변하는 미약한 상태 데이터에 집중하고 어떤 요인이 그들의 실험에 긍정적인 작용을 하는지 분석한다.

여러 논리를 이끌고 또 서로 기록하고 토론하기도 했다. 그 와중에 한 명의 젊은 연구자는 손가락을 두드리며 음악의 박자에 맞추어서 기다림을 가졌다. 톡톡.

금발의, 눈빛이 약간 충혈된 듯한 청년이다. 그 역시 훤칠한 키를 갖고 있었고 제자리에 선 채 손가락만 까딱이며 유리창 너머를 주시한다. 귀로는 음악 소리의 다음을 간절히 바라고 있었다. 조엘 왓슨이었다.

민서가 느끼기에 연구자들 중에서 괴짜 중의 괴짜처럼 보였던 청년. 그는 연구소장인 윌리엄의 차남이었고, 그의 아들 중에서 유일하게 학자의 길을 걸어 아버지와 같이 일하고 있는 자식이었다.

윌리엄의 겉으로 보이는 성격과는 다소 다른 행색이었지만, 어쩌면 내면은 닮았을 지도 모른다. 그리고 외면또한, 젊은 시절의 윌리엄은 사실 그랬을지 모르고 말이다.

그는 공격적이지는 않았지만, 때로 한 가지에 지나치게 몰두를 해서 다른 사람의 반응을 살피지 못하는 경우가 있었다. 그야말로 TV에서 볼법한 괴짜 과학자의 모습이었다. 가꾸지도 않아 대충 걸쳐 입는 옷가지에 부스스한 머리였으나, 연구소 직원들 중에서는 기혼자 파티에 속한 멤버였다.

그의 아내는 먼 미국에서 작은 딸 아이와 함께 그를 기다리고 있다. 그 역시 가족은 만나보고 싶었으나, 미국에 다녀오는 기점은 이번 프로젝트의 결말을 보고 난 다음으로 잡아두었다. 그는 성공이든 실패든, 어떤 식으로든 민서의 분발을 응원했다.

고요하다.

하얀 방 안에서 그는 차분하게 있었다. 특별하고 특이한 기분은 아니었다. 그냥, 어느 날 밥 잘 먹고 아버지가 있는 집의 안방에서 누워 잘 때의 느낌이었다.

혹은 중학교 시절 친구들과 열띤 농구 시합을 마치고 완전히 퍼져서 쉬고 있을 때 바라본 하늘이 생각나는 느낌이었다.

뭐 완벽한 평안까지는 아니었지만, 그래도 나름대로 차분했다. 그가 바라는 상황 중에 하나였다.

일상적이라고 해도 좋았다. 매일매일 들이닥치는 삶의 파도 가운데 얻는 잠깐의 휴식처럼 머무는 고요한 순간이다.

민서는 그런 평범함을 느꼈다.

*

프로젝트는 성공적이었다. 그들이 바라는 김민서의 일정한 정신 상태가 충분하고도 넘치는 시간 동안 유지되었다. 직전의 기록에서 34초가 최대였으나, 이번 주를 들어 호조를 보이다가 오늘의 실험에서 1분 17초를 달성했다.

두 배가 넘는 기록이었다. 그리고 눈에 보이지 않으며 다른 물질과 에너지의 반응으로 관측 가능한, 점프 에너지의 변화 또한 상당했다.

기록의 변화는 초 단위로 측정되었다. 일정한 수의 점퍼가 실험실의 근처에 대기하고 있다가, 미리 정해둔 도약선을 그리며 점프를 시행한다. 실험실을 지나며 건너편의 방으로 이동하는 점프였다. 건너편의 방 역시 실험실만큼이나 넓은 공간이었고, 정해진 포인트에서 얼만큼 변화가 일어나는가를 재고 있었다.

약 7-80여 회의 점프가 필요했다. 개인이 감당하기에는 부담이 있었으므로, 두 세명의 점퍼들이 동원되어서 측정에 동참했다.

30초까지는 일반적으로 점퍼들이 현장에서 낼 수 있는 오차 범위였다. 약 30cm를 넘지 않았다. 그리고 그 이후부터 숫자가 커졌다. 초 단위로 32, 33, 34, 36, 38, 39…를 기록하더니 1분을 넘어서면서 m단위의 오차가 나타났다. 마지막 1분 17초를 지나는 순간에 이뤄진 점프는 5m 정도의 차이가 나타났다. 1분을 넘어서면서 약 3m의 변화폭이 이루어졌다.

가상의 에너지, JE에 관여하는 JE2는 JE나 마찬가지로 축적이 되는 모양이었다. 그 에너지의 본체가 민서에게 시간에 따라 축적되며, 질량이 늘어나며 거대한 중력을 가지는 것처럼 강력한 영향력을 발휘하는 모양이다.

가상의 에너지는 시간이 빠를수록 축적에 가속도를 보인다. 그에 비례해서 강력한 영향력을 발휘하고 말이다.

확실히, 그간의 실험에 따라 홍인수가 행했던 도약이 민서로 인해 휘어졌다는 게 드러났다. 그렇다면 당시에 민서가 발휘했던 JE2의 축적은 어느 정도였는가. 수십 km 수준의 오차였으니, 정확히는 짐작할 수 없으나 분 단위에서 시간 단위 즈음이었을 것이다.

이미 그 정도 광범위한 영향력을 미치는 게 가능하다고 드러난 이상, 물리적인 재밍 장치로의 전환으로 연구의 방향성이 잡혔다.

우선 JE2의 분석을 끝내서, 그 에너지를 직접 유용할 수 있다면 좋으나 그렇지 못하다면 우선적으로 민서에게 일정한 탈력 상태를 유도할 만한 기계를 만드는 게 과제였다.

자유자재로 그 힘을 발휘할 수 있다면 쉬운 효과로는, 일단 조직의 구성원들이 범죄자 점퍼들의 구속을 위해 고생해야 할 필요가 없어진다.

민서는 그날 저녁 시간까지를 스위스의 연구소에서 보냈고, 스위스의 시간으로는 점심 무렵이었으므로 점심밥을 얻어먹고 한국으로 돌아왔다.

***

기지 내의 지휘관이 외쳤다.

"우오오오!"
"이게 무슨….."

옆에 있던 코치, 김만철이 눈살을 찌푸렸다. 같이 있다가 별안간

괴성을 지르면서 팔을 휘둘렀기 때문이다. 하마터면 맞을 뻔했다. 싸우면 이길 자신이야 있지만, 지휘관과 다퉈서 좋을 건 없었다.

기지 내 지휘관실. 어두운 분위기의 인테리어인 방이었다. 푸르스름한 빛이 조용하게 내부를 밝힌다. 어두운 톤의 원목 가구들이 회의용 탁상이나 다양한 용도로 자리를 채우고 있었다.

지휘관은 다소 진정을 한 뒤 얼마간 깎지 않았는지 거칠게 자란 턱수염을 매만지며 말했다.

"김민서 군이 해냈다네."
"민서 군이 말입니까?"

보통 기지의 지휘관 급 인사들은 귀에 항상 수신기를 꽂아두고 다니는 편이었다. 일일이 확인하기에는 번거로울 정도로 많은 양의 보고나 정보가 그들에게 들어오기 때문이었다. 기지 내라면 딜레이 없이 24시간 통화가 가능한 발화기도 겸한다.

코치, 는 지휘관 급에 준하는 경력을 갖고 조직 내부에서 인망이 높은 직책이었지만 지휘 계통에 속하는 인물은 아니었다. 종종 이렇게, 지휘관의 곁에 있다가 그의 급작스러운 발작을 마주하는 경우가 있었다.

"스위스의 물리학 연구소, 윌리엄 소장이 있는데서 꾸준하게 실험 중이라는 건 알지?"
"예, 그렇다고 하더군요. 월급도 받으면서."

근래 김민서는 조직 내에서 화제에 자주 오르는 인물이었다. 조직 내의 인원들은 어지간하면 큰 변화가 없는 편이다. 신입을 받는 다고 하더라도, 자연 발생적으로 나타나는 점퍼를 찾고, 그 뒤에 조직원이 되도록 회유를 하고, 훈련의 과정을 거친 다음에 신입이 된다.

그게 아니라면 중도적으로 설득이 가능한, 적대적으로 만나서 잡혀 들어왔던 점퍼들 중에서 얼마간의 기간을 거친 뒤 받아들이던 가.

둘 모두 정기적인 일도 아니었고, 일어나기 쉬운 편의 경우도 아니었다. 한 세대에 있다고 파악되는 점퍼들의 수가 대력 백여 명대라는 걸 감안하면, 한 세대가 지나도록 더 늘어나지 않아도 이상한 일은 아니었다.

비점퍼 요원들이야 시시각각 변하기는 하지만, 그들은 확인되고 검증된 기관을 거쳐 들어오는 이들이었어서, 이토록 특이한 방식으로 조직과 관계를 맺는 이들은 없었다.

이러나저러나 조직의 가장 유명인이라 할 수 있는 홍인수와 친분을 맺은 것도 조직에서 유명세를 높인 계기였다.

'소드 마스터'는 짓궂은 장난처럼 신입의 담력 테스트 대상이 되지만, 그와 동시에 반비례하는 존경 또한 얻고 있었다.

그가 누구보다 가장 위험한 의뢰의 현장에서 조직을 위해 헌신하는 것은 사실이었다. 또한, 한 번이라도 그와 함께 현장 일을 해본 백업 요원들은 그를 향한 신뢰도가 더욱 컸다.

훌륭한 동료를 옆에 둔다면, 칼과 총이 난무하는 현장에서도 무사 귀환률이 기하급수적으로 올라가기에 말이다.

그리고 홍인수는 지휘관과 백업 요원들의 지주나 다름없는 '코치'의 애제자이기도 했다. 둘은 김민서에게도 많은 관심을 쏟고 있었다.

애초에 등장부터가 특이했던 탓이다. 홍인수가 의뢰 중에 연속으로 뺑소니를 일으켜서 민간인을 기지로 초대하고 회유를 하다니.

'김민서'의 시점에서 점퍼와의 만남 역시 특이한 것이었지만,

조직의 '점퍼'들의 시선에서도 김민서는 유례 없는 인간이었다.

그리고 그런 특이한 케이스에 대한 분석이 어느 정도, 실험을 통해 해석 되었다고 지휘관이 막 전해 들은 차였다. 귀에 꽂은 보청기처럼 생긴 수신기로 말이다.

"실험이 소기의 성과를 달성한 모양이네. 김민서는 특이 체질을 가진 인간이 맞았어. 다른 형태의 '점퍼'라고 봐도 좋겠는데…. 아니, 결국 도약은 할 수 없지만… 재밍의 능력을 사용하는 시점에서 점퍼의 카운터 능력자라고 볼 수 있지 않은가…."
"허어."

코치는, 정말로 답잖게 입을 벌리며 탄식했다. 그는 반평생을 전쟁터에서 보낸 엘리트 전투 요원이었다. 그리고 그 이상의 시간을 점프 능력을 활용해서 보내온 노회한 점퍼였고.

거의 수십 년의 세월 동안 견고하게 서 있었던 그의 상식이 일부 부서지는 느낌이었다. 점퍼라. 혹은, 점퍼의 카운터 능력자라.

'점프'라는 능력을 갖고 있기에 더욱 확신하게 되는 것들이 있었다. 그들은 특이한 능력을 갖지만 초인은 결코 아니었다. 도리어 그 능력 탓에 자신의 한계를 더욱 뚜렷하게 체감하게 되는 평범한 인간이었다.

그리고, 세상에는 '점퍼'만 하더라도 충분할 정도로 기이한 현상이었다. 그 이상의 상식을 초월하는 일들, 비상식적인 능력자들의 존재는 세상에 없었다. 아마 몇 종류 더, 소설 속에 등장하는 초능력자들이 있었다면 세상이 아수라장이 되었을 테였다.

지금 그들이 '점프'라는 능력을 제어하면서 사고가 나지 않도록 통제하는 것만 해도 심히 벅찬 상황이었다.

또한 점퍼로서 조직과 일하면서, 세계의 온갖 고위층과 대중에게는 알려지지 않은 수뇌부의 기밀들을 접하면서 더욱 뚜렷이 세상의 본질에 대해 이해하게 된 것들도 있었다.

그런 상황에서 갑자기 새로운 능력자라니. 오히려 어떤 면에선, 일반인이 점퍼를 마주쳤을 때 이상의 충격이 김만철에게 있었다.

이런 종류의 능력자나 가능성이 그가 젊은 시절에도 있었더라면. '대 점퍼 전투법'이 지금처럼 완성도 있게 구축되기 전에도 훨씬 사상률을 줄일 가능성이 있었을 텐데.

"조금 더 일찍 발견되었다면 좋았을 텐데요."

몇 가지 의미가 있었다. 하나는 열악한 전투의 시절을 보낸 그의 젊은 날에 대한 회상이었고, 한 가지는 얼마 전에 조직에서 구류한 채 신문을 했던 범죄자 점퍼들에 대한 이야기였다.

"그렇지. 그런데 뭐 어쩔 수 있겠는가. 지나간 일을. 지금이라도 다양한 가능성을 발견한다면, 앞으로의 행보가 훨씬 수월해지겠지."

지휘관, 코드 네임 '커맨더Commander'가 말했다. 커맨더라는 이름은 조직 내에서 최고 지휘자, 수장에게 이어지는 칭호였다. 그가 현재 조직의 7대 커맨더였다.

코치, 김만철은 그의 상관이자 오랜 전우인 지휘관에게 이야기한다.

"앞으로라… 당신과 제가 은퇴하기 전에 확연한 변화를 볼 수 있겠습니까?"

김만철의 나이는 50을 바라보고 있었다. 그가 백업 요원들의 관리자이자, 신입들의 트레이너로 물러났다지만 그래도 은퇴를 할 시기는 존재했다. 조직의 비상시에 적어도 전력으로서 기능할 것, 이 '코치'로서의 수명을 가늠할 기준이었다.

지휘관 역시 마찬가지다. 지휘관은 코치보다 살짝 연상이었다. 그 역시 조직 수뇌부의 최고 책임자로서 조직의 정신적인 부분을 주로 담당하지만, 비상 상황 내에서 적절히 움직일 수 있는 물리적인 조건을 갖출 필요가 있었다. '점퍼'로서 살아간다는 건 그런 것이었다. 의지와 약간의 체력만 있다면 적이 다가올 수 있었고, 그에 대한 대응이 가능해야 한다.

조직의 수뇌가 무력하게 체크 메이트를 당한다면 조직은 순간적인 혼란을 맞이할 테였다.

굳이 비슷한 종류를 따지자면, 그들은 사적으로 무력武力을 제공하고 대가를 받는 용병대에 가까웠다. 그리고 용병대의 수장은 용병이어야 했다. 설령 현역은 아니라고 하더라도. 다른 이들의 호흡에 한 발짝 정도는 맞출 수 있는 실력이 최소한의 조건이었다.

지휘관은 조직 전체가 현장에서 사활을 걸고 움직일 때 적대적인 점퍼의 공격으로부터 살아남는 것, 이 직책상의 최소 임무였고 코치의 경우엔 다른 전투원들과 힘을 합쳐 전면에서 싸우는 게 가능할 것, 이 직책상의 최소 요건이었다.

그런 점에서 볼 때 아무리 운동을 꾸준히 하며 체력을 단련한다고 하더라도, 그리고 점퍼로서의 기술이 누구보다 날카롭고 능숙하다고 해도 물리적인 노쇠함을 따지자면 그들에게 긴 시간이 남아있지는 않았다.

앞으로 최대한 길게 본다면 10년. 변수처럼 발생하는 사건들이 있고, 최악의 경우에는 근 1, 2년 내로 은퇴를 해야 할 수도 있었다. 물론 그런 최악의 경우를 막기 위해서 있는 다른 조직원들이 든든하게 있었지만 말이다.

어쨌든 그들에게 당면 과제는 후대의 조직을 맡길 요원들에게 최대한 많은 경험을 주고, 노하우를 선사하고, 알게 모르게 인수인

계를 해나가는 것이었다. 결국 조직은 점퍼들이 움직이는 단체였다. 초대로부터 이어져 내려오는 올바른 사회를 위한 정신을 박아넣고, 능력을 비능력자들을 위해 사용할 엘리트 점퍼의 양성. 결국 그것이 점퍼 조직의 목적이었다.

충분한 시간이 있다면, 아마 다음 대의 커맨더나 지휘관급 인사들은 지금의 단독 전투 요원인 '리시버'나 '소드 마스터'들이 될 테였다. 만약 그만한 시간이 그들에게 주어지지 않는다면, 그 사이에 있는 연차가 높은 요원들이 그 자리를 잠시 맡게 될 테였고.

지금의 '커맨더'역시 예전에는 최고의 근접 전투 요원으로서 조직의 의뢰 전선 전면에서 활동을 하던 인물이었다. 코치 또한 마찬가지였고.

커맨더는 쓸어넘길 것이 없는 이마로부터 머리로 이어지는 빈 구간을 손바닥으로 쓸며 말했다.

"낙관적으로 본다면, 그럴 수 있겠네. 쥬니어 왓슨 박사가 말하길 생각보다 민서 군이 발휘하는 능력의 폭이 상당하다고 하더군. 꽤나 유의미하게, 전략적인 무기로 쓰일 수 있을지 몰라. 근시일 내에 말이네."

"호오."

코치가 그렇냐며 고개를 끄덕거렸다. 실험이 호조라는 건 희소식이었다.

"그보다, 마지막으로 점퍼 감옥에 보내진 양반이랑 구면이라며, 얼굴은 확인 했는가?"

지휘관이 잠시 화제를 돌렸다. 김만철은 눈살을 찌푸리며 잠시 생각했다.

"구면이라고요. 하긴 나이대는 저랑 비슷해 보였습니다만….."

정확히는, 기억하지 못하는 모양이었다. 희미해진 젊은 날의 추억들을 파헤치다 보면 얼추 떠오를 것 같기도 했다. 그러나 평상시에 염두에 두고 다닐 만큼 인상적인 인물은 아니었다.

"그자는 자네 얼굴을 본 다음에 발광을 했다던데. 자네가 신문실을 나서고 난 다음에 말야. 아주 인상적인 기억으로 남아있었던 모양이야."
"그렇습니까……."

코치는 요식적으로 기억을 위해 생각을 해보았다. 그에게 있어 그렇게까지 중요한 내용은 아니었다. 잠깐 집중해 보았으나, 역시 바로 떠오르는 건 없었다.

리더, 윤민혁은 기지에 구류된 채 가장 마지막까지 신문실에서 갖은 정보를 토해냈다. 그가 벌인 다양한 범죄와, 만들어 낸 팀에 대한 모든 이야기를 할 때까지 멈추지 않았다. 덕분에 조직 내의 점퍼들이 아주 고생을 했다. 24시간, 교대로 돌아가며 그를 감시하고, 포로의 처우를 위해 식사를 하고 용변을 보고, 샤워를 할 때조차 붙어 다니며 그의 자유를 제한해야 했다.

다른 이의 자유를 제한하고 압박하는 일은, 하는 쪽도 꽤나 부담이 가는 일이었다. 아예 인도적인 기준을 버리고 학대를 할 것이 아니라면 말이다. 물론, 그렇게 학대를 할 경우에는 학대자도 보이지 않는 곳을 다치게 되어 있었다. 그 자신의 마음과 영혼이었다.

*

22년 5월 19일.

야가미 소우타는 마음을 다칠 것 같았다.

그는 한국계의 비율이 많은 점퍼 조직에서 일하고 있는 점퍼였다. 자신이 점퍼라는 사실을 알고 난 다음부터, 만화적인 상상력으로 갖은 공상을 펼치며 세계를 위해서 무언가 해보려 했지만, 어느 순간 알고 찾아온 조직원들에 의해 회유되어 일한 지가 10여 년이 훌쩍 넘었다.

그동안 조직에 대해서 많은 것을 듣고, 또 안다고 생각했다. 실제로 그는 꽤나 연차가 높아서, 어느덧 중견 정도의 위치에 있는 처지였다.

그의 나이는 올해로 35세. 아래로는 그의 뒤를 따르는 후배들이 있었고, 위로는 이제는 다소 숫자가 줄어든 선배들이 있었다. 그 사이에서 자신이 이런 일을 맡게 된 건, 그다지 싫은 일은 아니었다. 어차피 누군가가 해야 한다면, 자신이 하는 게 나쁘진 않았으니까. 조직의 점퍼들의 사정과 생리는 알만큼 안다고 생각했다.

이런 일에 능숙한 자를 꼽자면, 그가 순위에 꼽힐 것이다.

그는 근 10여일 간 대부분의 시간을 누군가의 등에 손을 얹은 채로 보내고 있었다. 달콤한 연인간의 관계라고 하더라도, 억지로 손을 붙여 놓고 떨어지지 못하게 해둔다면 괴로울 법도 한데. 그가 손을 얹은 채로 지내야 하는 자와의 관계는 그런 달콤한 관계가 아니었다.

심지어 어떤 관계조차 아니었다. 그는 조직에서 대기를 타고 있다가, 근래에 현장 임무를 뛴 지가 좀 되었다는 걸 빌미로 전속 감시조로 배치가 되었다. 점퍼 조직에서 전속 감시조라는 건, 살짝 위험한 단어였다. 제대로 된 휴식 시간도 배정받지 못하고 주구장창 어떤 일을 해야 한다는 의미가 될 수 있었다.

보통 기지 내에 점퍼 범죄자가 들어왔을 때, 그들의 신변 구속을 위해서 '도약 재밍'을 24시간 대기하며 걸고 있어야 하는 처지를 말한다.

그가 맡은 건 장년의 나이대로 접어드는 한 사내였다. 체격이 크고, 인상이 사납고, 드잡이 질을 한다면 쉽게 제압할 수 없을 것 같은 남자였다. 대머리에, 선글라스를 끼고 있었다. 군복과 비슷한 옷을 입고.

굳이 조직 내에서 비슷한 인물을 찾자면, 그래, '코치'인 김만철이 떠오르는 인물이었다. 한국군에 적을 둔 적이 있는 듯한 모습. 공교롭게도 그 남자 역시 한국인이라고 했다.

생긴 것과 마찬가지로, 그리고 가장 뒤늦게 끌려 온 범죄 팀의 리더라는 점을 들었을 때, 또한 이 자를 잡기 위해서 조직의 '리시버'가 꽤나 고생을 했다는 소식을 미루어 봤을 때, 상당한 용력勇

力을 가진 양반이었다.

야가미 소우타는 그런 남자를 계속해서 제압하고 있었다.

물론 몇 겹의 보안장치가 설정되어 있는 특수한 수갑, 족갑 따위를 끼고 간신히 움직이고 있는 처지라지만 전투에 잔뼈가 굵은 용병으로 보이는 인간이 어떤 식으로 나올지는, 긴장을 풀 수 없는 일이었다. 야가미 역시 근접 전투에는 일가견이 있었지만 리시버나 소드 마스터처럼 스페셜리스트까지는 아니었다. 대체로 현장 임무를 맡을 때도 보조 역할을 맡는 편이기도 했고.

아주 지독한 며칠이었다. 기본적으로 인간의 존엄성을 위해서, 생식 활동, 생리 활동은 보장해줘야겠지만 그 모든 순간 몸에서 손을 뗄 수 없다는 건 구속을 하는 쪽도 괴로운 일이었다.

조직의 시설 중에서도, 점퍼 중에서 극악한 범죄자가 나오고 이자의 제어를 위해 며칠 동안 기지 내에 구류시키는 상황을 상정해 만든 설비가 있었다. 대개 교도소 따위의 물건과 비슷해 보이는 설비였다. 손을 작은 구멍에 내어놓고 일을 보아야 하는 화장실이나, 샤워실 따위였다.

"여기 손 올려."

그 역시 적당히 하고 싶은 괴로운 절차들이다. 손이 묶인 남성이 볼일을 볼 수 있도록 인도해주는 건 말이다. 정해진 화장실 부스에 가서, 먼저 바깥과 연결된 창구에 손을 넣도록 한다. 수갑에 묶인 채로 널찍한 구멍에 손을 두면, 위에서 아래로 닫는 마개를 내려 조금의 틈도 없이 만든다.

마개, 곧 덮개는 화장실 문의 내부 면에서 올리고 내리는 것과 외부 면에서 조작하는 두 가지가 있었다. 안쪽의 것은 피구속자의 프라이버시를 위한 것이었고, 외부 면은 피구속자가 도망가지 못하도록 막기 위한 것이었다. 그렇게 덮개를 내려서, 내부쪽으로 손을 빼거나, 외부에서 안쪽을 바라볼 수 없도록 하곤 문을 닫는다.

화장실 문의 틈새는 그들이 사용하는 수갑과 맞물리게 되어 있어서, 수갑에서 손을 빼지 못한다면 문의 틈새에서도 손을 빼지 못하게 되어 있다. 용변을 볼 때에는 바깥에서 수갑의 양쪽 중 한 손을 풀어준다. 보통 피구속자가 자주 사용하지 않는 손을 풀어주게 된다.

리더, 장년의 사내, 윤민혁의 경우 왼손의 수갑을 풀어주면 왼손은 화장실 내부에서 자유롭게 움직일 수 있었다.

먼저 화장실 내부에서 문을 잠근다. 그리고 풀려난 왼손이 빠진 틈새의 덮개를 내려 밀실을 만든다. 그다음에 자유롭게 화장실을 이용하면 되는 순서다. 번잡하게 많이 움직이지 않아도 자동으로 작동하는 비데로 편리하게 볼일을 볼 수 있었다.

내부의 소리를 굳이 듣지 않도록 화장 부스가 있는 룸에는 백색소음이 계속 울리고 있다. 화장실 부스의 자재는 인간이 맨손으로는 흠집도 낼 수 없는 소재로 되어 있어서, 내부에서 일을 꾸미기는 어려운 조건이었다.

더군다나 한 손은 계속 도약 재밍을 위해 쥐고 있는 터라 점프로 도망갈 수도 없었고, 다른 수작을 부릴만한 소지품은 조직에 구류된 시점에서 전부 빼앗긴 상태이다. 할 수 있는 거라 해봐야 자해 정도였지만… 다른 쪽에서 손으로 감각을 느끼고 있는 중에 그런 눈에 띄는 행동을 하는 건 지극히 어려운 일이었다.

손에 날카로운 칼날이라도 쥐고 있어야 손쓸 틈 없이 그렇게 일을 벌일 수 있겠다.

그리고 당장 자살이라도 생각할 정도로, 지독한 처사를 범죄자에게 하는 것도 아니었다. 어디까지나 합리적인 절차의 선에서 그들을 구속한다. 그것만 하더라도 당하는 이나 하는 이나 진이 빠지는 건 마찬가지였지만.

충분한 시간이 지난 후에 내부에서 다시, 문의 잠금을 풀고, 덮개를 올린다. 철컥. 드러난 문의 손 구멍으로 왼손을 내민다. 그러면 외부에서 감시자가 마저 수갑을 채운다. 표면이 거칠지 않은 플라스틱으로 덮인 수갑은 다소 두꺼운 모양이었다. 그리고 그 내부는 합금으로 다시 강도를 더했고, 더 안쪽은 센서가 있어 정해진 위치를 벗어나면 전류가 흐르는 장치가 있었다.

내부에서 모든 준비가 끝나면 다시 감시자가 문을 연다. 부드럽게 열리는 부스의 문이었다. 바깥쪽에서 손을 잡은 채로, 내외부 양면에 있는 덮개를 올려 손을 빼내기 용이하게 만든다. 순서는 바깥쪽 덮개를 열고, 피구속자의 몸체에 몸을 대고 가까이 다가가 내부면의 덮개를 열고, 팔을 빼내면 끝이었다.

그렇게 번거로운 절차를 거쳐서 용변을 본다. 몸을 씻는 일도 비슷한 식이었다. 주로 점퍼의 손 한쪽을 구속해둔 채 개인사를 보게 한다.

잡혀 온 구류자가 여성일 때는, 점퍼 중 여성 조직원이 이 모든 절차를 감당해야 했다. 조직 내의 여성 비율이 그리 많지 않다는 점에서, 여성 점퍼가 범죄자로 잡혀왔을 때 그들이 하는 고생이 상당했다.

구속이 하루나, 이틀 정도에 끝난다면 이런 번거로운 일이 비정기적인 이벤트였지만 며칠 단위를 넘어가면 정기적인 게 되고 말았다. 밥을 먹는 정도는 피구속자가 수갑을 찬 채로도 먹을 수 있었지만 그 외의 다양한 일들은 쉬운 것이 하나도 없었다.

그렇게 기초적인 생식을 위한 활동들을 하고 나면, 남은 시간은 모조리 독방 같은 밀실에 처박혀서 진행되는 신문의 연속이었다. 모든 정보를 토해낼 때까지, 며칠이고 몇 시간이고 계속되는 것이다.

이전에, 스미스가 범죄 팀 중 최초로 잡혀 온 송일우를 향해서 흔들었던 '점프 무력 장치'는 단순한 블러핑이었다. 점퍼 조직의 기술력이나 저력을 외부인이 알 리가 없으니, 적당히 겁을 주어서 빨리 끝내자는 요지였다.

송일우는 그것을 알았든 몰랐든 결과적으로 스미스, 송경태의 의도에 훌륭하게 따라주었고 말이다. 리더 윤민혁의 경우는 시간이 좀 길게 걸렸다.

윤민혁과 같이 있던 폐공장에서 잡혀 온 범죄팀의 인원들이 여러 명이었다. 한국인 남성, 여성, 그리고 거구의 일본인 남성으로 셋이다. 조직으로서도 네 명이나 되는 인원을 구류시켜 두는 건 부담이 큰일이었기에 재빨리 신문을 마치고 적당히 처리했다.

'처리'라는 게 물론 생명을 거두었다는 의미는 아니었다. 그들이 파악한 자료 조사에 따라 대질 신문을 해보고, 적당히 그들이 저지른 일들의 윤곽이 드러나면 세세한 걸 따지지 않고 대강 토막 쳐서 정리하듯이 강도를 정해 수감 시키던, 구속구를 찬 채로 일시적으로 다시 풀어주던, 하는 식이다.

도저히 회유할 수 없고 이미 극악한 사회적 범죄를 저질러서 교화가 불가능하다고 판단될 때, 보통 '점퍼 감옥'이라고 불리는 특수한 기관으로 보내버리는 편이었다. 온갖 종류의 센서가 달린 구속구를 채워 넣고 그곳에서 지내게 한다. 위성으로 인식하는 위치 좌표를 토대로 정해진 구역을 벗어나면 강력한 전류가 흐르거나, 폭발을 해버리는 구속구였다.

그리고 그건 도약에 대한 방비가 없는 현시점으로서 할 수 있는 최선의 소지였다.

흉악한 범죄자들을 가두어 두는 감옥이지만, 그들이 스스로 자해를 하는 건 막을 수 없는 감옥과도 비슷했다. 그래도 보통은, 얌전히 있는 편이었다. 자기들이 차고 있는 수갑이나 발목의 족갑이 어떤 위력을 보이는 물건인지 설명을 해주고, 약간의 시연을 거친다면 스스로 그것을 발동시킬 배짱이 많지는 않았다.

단번에 죽음에 이르는 것도 아니고, 최악의 경우 지독한 고통을 어딘지도 모르는 곳에서 한없이 길게 느끼고 있어야 할 지 몰랐으니까.

그럼에도 본질적으로 허점이 있는 통제라는 건 부인할 수 없었다.

잡혀 온 범죄 팀의 인원들은, 일시적으로는 방생 되었다. 위치 좌표를 기록하고 다소의 행동을 제한하는 구속구를 채운 뒤에 말이다. 그들이 움직일 수 있는 범위 또한 제한이 되었다. 해당 장소를 벗어나면, 곧바로 조직의 추적자가 쫓아가서 감옥에 처넣으리라는 당부를 하고서 말이다.

보통 정해진 지역 도시, 혹은 지방 정도의 범위였다.

그런 나머지 팀원들이 기지에서 사라지고, 마지막까지 남은 게 눈앞의 장정이다. 야가미 소우타는 마지막까지 남은 그를 감시하는 감시조로서, 24시간 중 유용 가능한 대부분을 상대에게 쏟으며 하루를 보냈다.

그가 감시하는 윤민혁은 말이 없는 편이었다. 따로 그런 기술이라도 익히고 훈련이라도 받은 건지, 놀랍도록 조용했다. 그가 말을 하는 건 조직의 요원들이 정보를 토해내라고 압박을 할 때 뿐이었고, 그 외에 필요 없는 말은 일절 하지 않는다. 어쩌면 지친 것일 수도 있겠다. 애초에 체력적으로 지친 상태여야 구속이 편리하다는 이유로 식사량도 조절하고 있었다.

그는 일본계의 요원이었으나, 한국계가 많은 조직에서 일을 하며 자연스럽게 한국어를 공부하고 배웠다. 한국어와 영어를 비롯해서 삼개 국어를 네이티브 수준으로 할 수 있는 재원이었다. 비단 그뿐만이 아니라 점퍼 조직에서 주요하게 일하는 이들은 다들 다양한 재주를 익히고 있었지만 말이다.

전 세계적인 단체들과 상대하고 움직이기 위해서 일단 영어 정도는 익혀두는 게 본인에게 있어서도 편리했다. 조직 내의 인원들과 더 깊이 지내고 싶다면 한국어를 배우는 것도 괜찮았고.

윤민혁이 기지에 잡혀 들어온 것이 5월 3일 밤의 일이었으니, 어느덧 16일 째였다. 그 동안 그는 조용히 지냈다. 신문에는 소극적이었지만, 적극적인 반항을 하지도 않았다. 그가 기지 내에서 소란을 피웠던 건 '코치', 김만철을 보고 난 뒤 발작적으로 소리를 지른 것 뿐이었다.

아마 잘은 모르지만 이전에 조직원과 얽힌 적이 있었고, 당시에 현역으로 활동하던 김만철과 마주친 추억이 있었던 모양이다.

소우타는 잘 알지도 못하는, 험상궂은 한국인 사내와 그렇게 십며칠을 함께 보내며 고생을 했다. 윤민혁은 천천히 시간을 들여 자신의 과거 행적을 일일이 토해냈고, 그의 언사나 태도가 그리 반항적이지 않고 협조적이며 또 누그러든 모습을 보인다는 점에서 최고 수준의 형량을 받지는 않았다.

물론 감옥 내에서의 모습으로 그 형량이 더 길어질 수도 있기는 하겠지만. 어쨌든 대강 바깥 사회에서 내리는 판결을 참고하여, 그리고 관련한 기관들 중 법조인들이 있는 단체의 도움을 얻어 형량을 정하고 그렇게 윤민혁은 기지에서 나가게 되었다.

야가미 소우타가 마지막까지 그의 감시 요원으로 고생을 했다. 19일 밤, 야심한 시각에 야가미 소우타의 인도에 따라 윤민혁은 어느 무인도에 위치한 특수 점퍼 감옥에 보내져 20년의 형량을 감당하게 되었다.

*

공부란 끝이 없는 것이다, 라고 김수정은 생각했다.

대학교의 국문학 수업을 듣는 와중에 그런 생각을 했다. 그렇게 생각하지 않으면, 지금의 지루함을 이기지 못할 것 같았다. 왜냐면, 그녀는 공부가 하기 싫었다. 어지간히 했다고 생각했는데, 아직도 남았다니.

졸업반을 마치기 위해서 다니고 있는 학교는 지루함이 컸다. 국문학이야 적성에도 맞았고, 나름대로 좋아하는 분야였지만 주구장창 시험을 위해서 파고들어 가다 보면 질리는 부분들이 있었다. 그리고 갖은 고생을 다하면서 취업 준비를 해보았지만 좋은 결과가 잘 나지 않는다는 점도 의욕 상실에 한 몫을 했다.

무엇을 해야 하는가.

무엇으로 먹고 사는가!

라는 생각을 할 때 쯤 그녀는 그의 친구를 떠올렸다. 친구야 많이 있었지만, 이럴 때 생각이 나는 건 '김민서'라는 친구였다. 그야말로 앞 길이 보이지 않는 것 같은 삶을 살아가는 친구. 짧게 말하자면 날백수에 가까웠다.

저 녀석도 사는데!

라는 생각을 가끔 하고는 했다. 그리고 좋은 건지 알 수는 없지만 나름의 위안을 받기도 했다. 그녀가 의욕 상실에 시달릴 때마다 이런 식으로 도움을 주고 있다는 걸 그는 알까. 알면 잔뜩 찡그린 얼굴로 퉁명스럽게 쏘아댈지도 몰랐다. 나름대로 진지한 면들이 있을 것이다. 그런 면을 말해주지 않으니 전혀 모르고 또 겉으로 보기에는 아무 생각도 없어 보일 뿐이었지만.

그녀는 성현대의 인문대학 강의실에 앉아 있었다. 볕이 드는 창가 자리였다. 인문대는 여러모로 조경이 예쁜 학교의 입구 근처에 자리해 있었다. 의도적으로 성현대의 배치가 그렇게 된 것인지는 알 수 없으나, 사람들이 쉽게 드나들 수 있는 정문 근처에 특히 아름다운 건축물들이 있거나 신경을 쓴듯한 정원수 따위가 있었다.

나름대로 인문대학의 멋을 살린 건지 고풍스러운 티를 낸 조각들도 건물의 외벽에서 존재감을 자랑한다. 그녀는 그런 건물의 1층 강의실이었다.

나른하다. 햇살이 따스하다. 이번에 전공과목 하나와 교양 과목 두 개를 들으면 졸업이었다. 그동안 꾸준히 해 온 결과를 맞이하는 것이었지만, 앞으로 나아갈 일을 생각하면 조금 막막하기도 했다.

교수님의 강의는 잘 아는 투의 여성 분이셨고, 느릿하지만 톤이 높은 목소리로 천천히 진도를 나가고 계신다. 그녀는 반쯤은 필기를 하다가, 또 얼마간은 다른 생각을 하며 노트를 빈 채로 두었다가를 반복했다. 그다지 집중이 되지는 않았다.

이미 대학 시절의 열정은 지난 학기를 끝으로 다 쏟아내버린 것 같은 기분이었다. 그 동안 이래저리 시도해봤던 기업의 면접이나, 일자리를 알아보는 것도 영 결과가 좋지는 않았었고…. 이대로 사회에 내던져져야 하는가. 모든 대학생들의 고민과 같은 것을 그녀는 하고 있었다.

또각, 또각.

교수님은 낮은 굽이 있는 구두를 신고서 강단 이곳저곳을 돌아다녔다. 그 발소리나 일정한 목소리 톤에, 그리고 늦봄의 햇살이 그녀를 졸게까지 만들었다.

점심을 먹고 난 뒤의 시간이라 더 그럴지도 모른다. 그녀는 점심으로 학식의 우동을 먹었다. 성현대의 학식은 나름대로 맛이 괜찮은 편이었다. 요즘의 물가 상승률을 생각하면 그래도 굉장히 저렴한 편이었고. 탄수화물을 소화 시키기 위해 쓰이는 신체의 내부 연료나 작용이 생각을 둔하게 만든다.

변명일 지도 몰랐지만, 아무튼 그러했다. 그녀는 얼마간 수업에 집중을 하다 끝내 잠들었다. 턱을 괸 채로, 샤프를 손가락 사이에 끼우고 말이다.

2.

수업이 끝이 났다. 그녀가 정신을 차렸을 때는 이미 학우들이 분주하게 가방을 싸고, 서둘러 강의실을 나서고 있는 때였다. 수업의 반절은 놓쳐버렸다. 시험공부야 몰아서라도 할 수 있지만, 중간에 중요한 내용이 나왔다면 다른 친구에게 물어보아야 했다.

그녀는 뻐근한 어깨를 풀며 적당히 기지개를 폈다. 샤프 끝으로 톡톡, 책상을 두드리다가 일어섰다. 노트나 필통 따위를 가방에 넣어 정리하고 자리를 나섰다. 오늘 수업은 이걸로 끝이었다. 약속이 있는 날도 아니었고, 일단 집에 돌아가야 했다.

3.

집에 돌아가는 길은 단조롭다. 김수정은 인문대학의 건물에서 벗어났다. 1층 강의실에서 나와 교정을 나서면, 얼마 지나지 않아서 버스 정류장이 보인다. 학교 정문 근처에 있는 버스 정류장은 버스가 조금 늦게 온다. 배차 간격이 긴 편이라… 얼마간 핸드폰을 들여다보며 기다리다가, 오는 버스에 올라탄다.

띡, 버스에 올라타면 자연스럽게 찍는 신용 카드.

주위를 둘러보니 앉을만한 자리가 뒤에 있었다. 맨 앞자리는 보통 계단식으로 높게 되어 있어서 올라가기 불편한 면이 있었다. 바지를 입었지만, 굳이 힘을 쓰기보단 뒤에 가서 편하게 앉았다.

자리에 앉아서 자연스레 주변을 살펴보았다. 한산한 버스였다. 버스 기사 아저씨는 나이대가 꽤 있는 편이었다. 노년을 앞둔 남성.

그녀 외에는 앞자리의 노약자석에 앉아 있는 중학생 남자아이 하나. 그리고 버스의 맨 뒤쪽에 웅크린 채 앉아 있는 작은 체구의 여성 하나. 옆에 있는 성현대생으로 보이는 남학생 하나 뿐이었다.

이대로 버스를 타고서, 시내를 지나 한 10분 여 정도 가면 집 근처에 다다른다. 서울, 그것도 집이 있는 인근에 대학교를 합격해서 얼마나 다행이었는지 모른다. 그동안, 대학교를 다니면서.

매일 아침마다 수업 시간에 맞추기 위해 갖은 분주함을 다 떨어야 할 필요까지는 없었다. 사실 이런저런 준비를 하고, 하루종일 학교에 있기 위해 나서려면 나름대로 시간이 필요한 건 맞았지만. 지방에서 학교를 다닌다거나, 편도로 한 시간이 걸린다거나 하는 것보단 훨씬 나은 처지였다. 고등학교를 다닐 때를 생각해보면 훨씬 여유롭게 학교 생활을 마쳤다.

학교 강의실에서 그랬던 것처럼, 멍하니 창가로 시내를 바라보았다. 점심 지나서, 한 네시 쯤을 지나고 있다. 시간은. 늦봄의 한낮은 여유롭고 한가했다. 거리를 걷는 사람들도 분주해보이지 않는다.

각자의 목적을 갖고 걷고 있는 사람들. 유리창 너머로 풍경들을 구경하다 보면 금세 집에 도착하게 된다.

한 네, 다섯 정거장 정도를 지나서 그녀가 내릴 정류장이 코앞이었다. 멍 때리다가 놓칠 뻔한 것을, 서둘러 하차 벨을 눌렀다. 곧 이어서 얼마 지나지 않아 버스가 서고, 그녀가 내렸다.

그다지 특별할 것 없는 하루였다. 언제나 익숙한 듯 지나다니는 동네는 별다른 사건도 없다. 그녀가 사건을 바란다는 건 아니었지만. 일상적인 삶 속에서 다소 지루함을 느끼기도 한다. 뚜렷한 목표를 갖고 열정적으로 달리고 있는 와중이라면 이런 생각도 하지 않겠지.

앞으로의 삶에 대한 고민은 그녀의 몸도 둔하게 만들었다. 눈에 보이는 뭔가가 있었으면, 조금 더 나았을까.

버스에서 내려 익숙한 거리를 지난다. 등에는 백 팩을 메고, 적당한 바지에 후드를 걸친 차림이었다, 오늘은. 화장도 피부를 정리하는 정도로만 하고, 안경을 쓴 채다. 집을 나설 때도 서둘러 나섰고 금세 돌아왔다. 운동화를 신은 채 터벅터벅, 집을 향해 걸으면서 입이 벌어졌다.

"연애라도 했으면."

과연 나았을까. 과연 삶의 의욕에 도움이 되었을까. 알 수 없는 노릇이었다. 지난 시간 동안 연애를 하지 않았던 건 아니지만, 무언가 집중할 때 연애에 지나치게 많은 시간을 쏟을 수도 없었다. 그동안은 학교를 잘 졸업하고, 취업을 위한 준비들을 위해 달리느라 놓치고 있었지만 억지로나마 한 걸음 쉬게 된 지금은 다시 이런저런 생각들이 나고 있었다.

그녀는 한숨을 툭, 내쉬며 짧은 골목을 지나 어느새 도착한 집에 들어섰다. 아버지, 어머니랑 같이 살고있는 집은 날 때부터 살던 단독 주택이었다. 낡았지만, 친근하고 그리운 공간.

수정은 가로막는 대문에서 손에 익은대로 비밀번호를 눌렀다. 삐비빅, 하고 빠르게 누르고 닫자 기계음이 들리며 철문의 잠금장치가 풀린다. 그녀는 그대로 손을 대고 어깨로 밀듯이 누르며 집에 들어섰다.

*

옌 쩻 티아마는 태국인 여성이었다.

왜소하고 작은 체구에, 무슨 일이라도 있어 흠칫 움츠러들면 보호 본능을 자극할 정도의 외모를 가진 여성이다. 뚜렷한 이목구비에, 검은 머리를 어깨 즈음까지 길러놓고 다닌다.

비교적 동남아인은 아시아의 선진국이나, 다른 서방 나라들에 비해 경제 수준이 낮을 거라는 인식이 있었다. 물론 개중에도 사람 나름이었고, 편향적인 동남아 국가들의 개인 재산 지표는 일부 압도적인 부자들의 존재 또한 시사하고 있었지만.

일반적인 민주주의, 선진국 국가들보다 동남아의 여러 나라들은 권력층이 부의 대부분을 차지하고 대다수의 하층민들이 지나치게 가난한 모습을 보이는 건 사실이었다.

개중에 옌 쩻 티아마는 부유하게 태어난 편은 아니었다. 태국은 외국인들은 잘 이해하지 못할 민족, 부족 간의 신분 차가 있었고 왕이 다스리는 나라였다. 개중에서 그저 그런 소수 민족 출신이었던 그녀는 본국에서 사치와는 거리가 먼 삶을 살던 사람이었다.

개인적인 재산이라고 해봐야 부모님께서 물려주신 낡은 집 한 채. 그리고 그 안의 가재도구들 정도. 일을 해서 벌면 돈이야 벌 수 있었지만, '가난의 굴레'라고 할만한 것을 끊을 만큼 획기적인 벌이를 버는 것은 특별한 재주가 필요한 일이었다.

그리고 그녀는 안타깝게도 특별한 재주를 지니고 있었다. 그녀는 '점퍼'였다.

안타깝게도, 라고 표현한 일은 그녀가 단순히 그 재능을 살릴만한 지식이나 부가적인 능력이 없었던 탓이었다. 그녀는 작고 여린 체구에, 별다른 재주나 단지 이동하는 것만으로 큰일을 도모할만한 지식도 없었다.

그런 그녀의 삶이 변하게 된 계기는 비교적 최근의 것이었다.

태국인이라지만, 세계 전도와 위치 좌표 정도만 있으면 어느 나라든 여행을 떠날 수 있다. 단순한 노동을 반복해서 획기적인 돈을 벌 수 없었지만, 지도나 값싼 전자 기기를 얻는 것 정도는 가능했다.

그녀는 그것들을 이용해서 이곳저곳, 여행을 다니는 걸 즐기는 편이었다. 일상적이고 지루한 삶 속에서 그녀가 가지던 작은 취미라고 할 수도 있었다. 여행에서 체류비나, 항공비는 전혀 들지 않았다.

어디이든 가고 싶은 곳, 명소나 지방의 위치 값 정도만 파악한다면 그녀는 곧바로 움직일 수 있었다. 먹는 것 또한 시간이나 공간의 제약을 받지 않으니 간편하게 해결했다. 집에 있는 먹거리를 도시락처럼 들고 다니면서 먹으면 될 일이다. 그녀가 가진 건 태국화(바트)지폐 뿐이었지만, 단순히 경치를 구경하고 돌아다니는 데 돈은 필요 없었다.

작고 담이 약한 그녀가 사람이 지나치게 많은 곳을 돌아다니는 건 조금 힘든 일이었지만, 나름대로 경치가 좋고 소문이 났다는 곳들은 다 돌아다녀 보았다. 비교적 사람이 적은 외곽을 걸으며 혼자만의 시간을 즐기는 식이었다.

그렇게 수 차례, 수십 차례, 어느 정도 몸이 자라고 혼자서 다니게 됐을 무렵부터 점프를 이용해 자기만의 세계 여행을 반복했다. 그리고 그러던 어느 날, 한 명소에서 다른 점퍼를 만나게 되었다.

'윤민혁'이라는 이름의 한국인 남성이었다.

그녀가 그를 만난 것은 이집트의 피라미드 근처였다.

그때 그녀는 쿠푸 왕의 피라미드가 보이는 사막의 한적한 자리에서 구경을 하고 있었다. 멀리로 피라미드 형태의, 피라미드가 보인다.

일을 마치고 돌아와서 집에서 쉴 때 쯤, 태국에서 저녁 시간을 활용해서 온 것이었다. 한창 한낮의 뜨거운 뙤약볕이 사막을 달구고 있는 오후 시간. 이집트는 그런 낮 시간이었고.

인적이 드물고, 그냥 멀리로 피라미드의 뒤편이 보일 뿐인 시내와 반대편 방향의 황무지. 그녀는 그런 곳에 적당히 자리를 깔고 다소곳이 앉아 있었다. 길다란 치마에 샌들을 신은 채로 다리를 모으고 팔짱을 그 위에 얹고서 말이다.

가만히 피라미드를 바라보면서, 저 물건은 대체 언제 지어진 걸까, 역사란 뭘까, 나라란 뭘까, 곧 자신이 태어난 땅이나 혹은 자신의 인생에 대해서 생각하게 되었을 무렵 누군가가 다가왔다.

"여."

굵직한 목소리였다. 그녀는 본능적으로 움츠러들었다. 작고 왜소한 체구의 그녀는 성인 남성을 감당할만한 힘이 없었다. 어설프게 시비라도 걸린다면, 그녀로서는 도망가는 것이 최선이다. 얽히지 않고, 자극하지 않고.

그리고 눈에 보이지 않는 곳에서 점프 능력을 쓰면 그만이었다. 다만 이곳은 어디에도 시야를 가릴 곳이 없는 황야의 벌판 한가운데라는 게 조금 문제였지만. 정 위험하면, 시선을 신경 쓰지 않고 순간이동을 하겠노라고 그녀는 생각했다. 그녀가 고개를 돌려 상대를 바라봤다.

"…아가씨. 아까 여기에 갑자기 나타났지ท่านหญิง ท่านเพิ่งมาปรากฏที่นี่หรือ?"

그녀는 심장이 멎을 뻔했다. 여상스러운 말투로 물어본 말이었으나, 그 속뜻을 살펴보면 그녀의 비밀을 건드릴 수 있는 이야기였기 때문이다. 갑자기 나타났다, 라는 말은 보통 어딘가에서 뜬금없이 온 것을 말한다.

일반적으로는. 그러나 그녀는 마음만 먹으면 어디든 순식간에 위치를 옮길 수 있는 순간이동의 능력을 가진 인간이었다. 그녀가 여태껏 가리고 감추어왔던 비밀을 다른 사람한테 들킨 적은 없다. 설마 그 얘기를 하는 걸까.

옌은 짐짓 모른 척을 하며 조심스럽게 입을 열었다.

"그게 무슨…."

최대한 상대를 자극하지 않는 말투를 하려 애를 썼다. 공격적이어 보이지 않기 위해서. 그러나 대개의 경우, 불의한 자들이 악의를 품고 다가온다면 그런 것과 상관없이 악행을 저지르게 마련이었다. 그저 최소한의, 자구책에 가까웠다.

그녀가 두려워하는 건 두 가지였다. 눈앞에 갑자기 말을 건 사내가 자신에게 악의를 품고 있는 것과, 혹은 그녀가 남몰래 감추는 비밀을 목격했을 경우. 어느 쪽이던, 수가 틀리면 다시는 볼 일이 없으리라는 마음으로 그냥 점프를 써버리면 그만이었다.

어차피 여기는 이집트의 한복판이었고, 자신은 그 행적조차 알 수 없는 태국인이었다. 눈앞의 동양인 사내가 뭐라고 하던 알 게 무엇이겠는가.

그러고 보면, 문득 이상한 점이 느껴졌다. 눈 앞의 사내는 그녀가 누구인 줄 알고 그녀의 모국어로 말을 걸었는가.

동양인 사내가 다시 말했다.

"대충 찍었는데 태국인이 맞았군. 내가 아는 동남아 계열 언어는 태국어뿐인데. 아니면 영어를 좀 할 줄 아나?"

그녀는 물론 영어에는 소질이 없었다. 대학을 나오지도 않았고, 학교에서도 열의를 갖고 공부를 한 편은 아니었다. 입을 열기에 앞서, 그녀는 자신의 바보 같음을 탓했다. 멍청하게 대답을 하지 말걸 그랬다. 입을 다물고 있었으면 애초에 대화 자체가 성립되지 않았을 텐데. 처음 만나는 동양인이 자신이 어떤 나라의 사람인 줄 어떻게 안단 말인가.

"아뇨…."

그녀는 적당히 대답하면서도, 상대와 자신의 거리를 재고 있었다. 일정 거리 안으로 들어오면 상대의 말은 신경쓰지 않고 생각대로 점프를 할 셈이었다.

"태국어를 할 줄은 알지만 네이티브는 아니라서 말이야. 아쉽구만."

사내는 그런 그녀의 기색을 느꼈는지, 한 다섯 걸음 정도 거리를 띄운 채 더이상 다가오지는 않았다. 사실 그에게 있어서 그 정도의 거리는 점프를 쓰지 않아도 순식간에 다가가 제압이 가능한 거리이다. 상대가 반응이 빠른 점퍼라면 모르겠지만.

옌은 일단 사내의 행동거지나, 말을 침착하게 살피며 기다리기로 했다. 이대로 대화로 얌전히 돌려보낼 수 있다면 그게 가장 좋은 일이었다. 그리고 상대가 시야에서 사라졌을 때, 점프를 해서 집으로 돌아가면 완벽하다. 그저 잠시 놀란 일이 있었다며 생각하곤 침대에서 잠에 들면 될 뿐이다.

남자, 윤민혁은 시간의 흐름에 구애받지 않고 언제나 비슷한 차림이었다. 국적은 잘 알 수 없는, 적당히 주변과 맞춘 빛깔의 군복을 베이스로 두터운 외투 따위를 걸친 차림이다. 사막에서 하고 있기엔 지나치게 두꺼운 복장으로 보였지만, 적어도 언제나 준비된 상태로는 보였다. 물론 군인으로서의 준비였다.

사교적으로 누군가에게 다가가기엔 심하게 어려워 보이는 복장이다. 더군다나, 선글라스까지 끼고 있다면 말이다.

그녀는 조심스런 기색으로 천천히 답했다.

"어… 그래서, 무슨 일이시죠?"

남자의 태국어 발음은 능숙했다. 첫 마디는 '점프'에 대해 들켰을지 모른다는 생각에 화들짝 놀란 차였지만, 차분하게 들어보면 외국인이라고 단번에 알아채기 어려울 정도로 자연스러운 발음이었다. 그녀로서는 다소 볼 일이 적은 동양인이 태국어를 그렇게 구사하고 있으니 어색한 느낌이 들기도 했다.

"용건은 아까 그게 다인데. 갑자기 이 자리에 나타나지 않았느냐고. 그 얘기를 하고 나면 조금 더 할 얘기가 있다네."
"…예?"

옌은 집요하게 모른 척을 했다. 어차피 상식 바깥의 일이었다. 그냥 눈을 꾹 감고 시치미를 떼면, 상대 역시 헛것을 보았나 한 채 넘어갈 테였다. 열사의 땅에서 아지랑이 따위는 흔하게 볼 수 있는 현상이다. 태양 빛 아래에서 공기가 굴절되어 보인 셈 치면 될 것이다.

"모른 체를 하는 군."

후욱, 하고 바람이 부는 것 같은 소리가 났다. 옌은 점프 에너지에 민감한 편이었다. 다소 멀리에서 이루어지는 도약도 잘 파악하고, 그것들로 일어나는 현상 또한 감각적으로 잘 감지한다. 그녀로서도 처음 안 사실이었다. 그녀 외에 다른 이가 앞에서 점프를 하는 건 처음 본 일이었으니.

물론, 당시에 옌이 스스로가 감각적이라는 걸 알지는 못했다. 다른 이들은 옌이 느끼는 것만큼 선명하게 점프를 느끼지는 못한다. 그녀는 물리적인 거리로 따지면, 반경 약 수백m 안에서 이루어지는 점프까지 코앞에서 이루어지는 것처럼 감지했다.

JE에 대한 감각이 둔한 다른 이들과 비슷한 정도라면, 2, 3km 내에서 이루어지는 점프 또한 감지할 수 있었다. 이 정도의 거리에서 이루어지는 점프는 대략적인 위치와 방향을 추측할 뿐이었다. 보통 그 정도 거리가 떨어지면 JE에 대한 감지를 '시야'라고 친다면 눈이 가려지는 수준의 조건이었다. 옌은 다른 점퍼들에 비해 시야 너머의 것을 바라보는 특수한 체질을 갖고 있었다.

윤민혁, 당시에 이미 중년의 한창을 지나던 행색이었던 그가 눈앞에서 사라졌다. 그리고 옌의 뒤에서 말소리가 들렸다.

"야호."
"악!"

옌은 무식하게 소리를 질렀다. 정말로 놀란 탓이었다. 그녀는 평생 점프라는 능력을 감추기 위해, 마음 속의 공간 하나를 따로 비워 놓고 살아야 했다. 어떤 누구에게도 공유할 수 없는 사실을 감추기 위해서 말도 조심해야 했고, 때로는 그녀 혼자서 움직일 때처럼 하지 않도록 행동도 조심해야 했다.

'공간 도약', '순간 이동'이라는 초능력은 그녀의 가족에게도 알리지 않은 것이었다. 그녀가 날 때부터 있던 것은 아니었지만, 사춘기 무렵 그녀가 능력을 자각했을 때부터 생겼던 비밀이었다.

뙤약볕 아래서 윤민혁은 흐르는 땀을 손수건 하나를 꺼내 닦으면서 이야기했다.

"날이 덥군. 오래 이야기하기는 힘든 곳이야. 혹시 자리를 바꿔서 다음 이야기를 할 생각이 생겼나?"

윤민혁이 능청스럽게 말했다. 옌은, 담이 작았지만 마음 한 켠 일상에서의 일탈을 꿈꾸던 아가씨는 그 말에 고개를 무심코 끄덕여버렸다. 그것이 그녀와 윤민혁의 만남이었다.

2.

옌은, 시내를 정처없이 걷고 있었다.

'시내'라 함은 한국의 시내를 말함이었다. 정확히 말하자면, 남한의 시내. 서울 성북구, '성현대학교' 근처의 대학가였다.

그녀의 주위로 분주하게 걷는 사람들이 많았다. 사실 그렇게 분주한 편은 아니었지만. 그녀의 눈에는 다들 자신들의 삶을 위해 목적 있는 걸음을 걷는 이들로 보였다.

힘없는 눈을 들어 사람들의 표정을 훑었다. 다들 걱정이 없어 보이는 기색이다. 그녀는, 그럴 수 없는 처지였음에 부러움을 느꼈다. 옌은 지금 다소 난감한 처지였다.

서울에 연고는 없었다. 태국으로 돌아가면 익숙한 거리와 사람들이 맞아줄 테였지만 이제와서 수년 간 연락을 끊었던 집에 돌아가기엔 염치가 모자랐다.

그녀가 돈이 없었던 건 아니었다. 오히려 많은 축에 속했다. 옌이 윤민혁과 만나고 불과 삼년 여. 그녀는 고향에서 평범하게 일을 했다면 머릿속으로 상상도 잘 하지 않았을 정도의 금액을 실제로 얻게 되었다.

혼자였다면 실행할 배짱도, 지식도, 힘도 부족했을 수많은 계획들을 성공했던 보상이었다. 물론 문제가 되는 점은, 그 계획들이 합법적인 종류가 아니었다는 사실이다.

주로는 어느 부자의 금고 따위를 털었다. 윤민혁이 입수해오는 정보들을 이용해서 말이다. 주로 뒷세계와 연관이 된 거부들이었다. 그들의 비자금 따위를 털어도 공권력에 의해 수배되지는 않기에 말이다. 물론 한 지역에서 여러 부자들을 타겟으로 하고 활동 또한 그 지방에서 한다면 문제가 되겠지만.

그들은 점퍼였기 때문에, 공간적 제약을 받는 일은 없었다. 환전이 용이한 귀금속 류를 털어서 사치를 즐겼다. 시간이 갈수록 여러 명의 점퍼들을 영입했다. 그녀가 있기에 비교적, 다른 점퍼들을 찾는 일이 용이했다.

물론 그녀가 감지할 수 있는 범위라고 해봐야 전 세계적인 넓이에 비하면 한없이 작은 단위였다. 그러나 시간대를 바꾸어 가며, 사람들이 모이기 쉬운 메트로폴리스를 집중적으로 탐색하는 방법이 주요했다. 반경 2-3km정도의 넓이를 감지할 수 있는 그녀가 있다면, 하루에 수백 회를 소모해서 거대한 도시를 둘러볼 수 있다.

시간대를 조금씩 바꿔가며 한달 여에 한 도시를 샅샅이 뒤지게 된다. 보통 점퍼라고 해도, 사람인 이상 인프라가 구축되어 있는 도시를 주변으로 움직이는 건 어쩔 수 없는 일이었다.

그가 사회적인 인간이던, 아니던 관계 없이 필요에 의해서 도시에서 움직이는 경우가 생기는 것이다. 교통의 비용이 전혀 들지 않는 점퍼라면 더욱 그런 경향이 심할 것이다. 만일 점퍼로서 평범한 직장을 다니며 사회의 일원으로서 살아가고 있다면, 그는 아마 범죄에 사용하지 않는다고 하더라도 매일의 출퇴근을 순간 이동으로 대체할 가능성이 있었다.

혹은 점퍼로서의 능력을 적극적으로 활용하여 다른 이들에게 도움을 주거나 관계를 맺는 유형의 점퍼- 곧 조직의 점퍼라고 하더라도 사람들이 많은 대도시를 중심으로 도움을 요청받아 움직일 테였다.

약 이, 삼십일 정도를 소모해서 24시간을 쪼개어 매시간 별로 도시의 전역을 돌다 보면, 의외로 점퍼를 찾는 것이 마냥 불가능한 일은 아니었다. 전 세계에 존재하는 백여 명을 넘는 이들이, 공간적 제약이 없이 전 세계를 돌아다닐 때 그들이 움직이는 곳은 자연스레 메트로폴리스가 거점이 될 수 밖에 없었다.

그들처럼 사적인 욕망을 위해 사치를 즐기려 해도 발달이 잘 된 도시 지역에서 즐기게 되는 것이다.

혹은 유명한 관광지가 있는 곳 또한 그들을 찾기 위해 움직여볼 만한 자리들이었다. 교통비가 전혀 들지 않고 시간이 소모되지 않는다면, 많은 점퍼들이 능력을 각성하고 하는 일 중 하나가 세계적인 관광지들을 돌며 시간을 보내는 것이었다.

윤민혁은 점퍼로서 능력을 각성하고 나서도 그런 곳에 시간을 많이 보내지는 않았지만, 타인의 심리나 움직임을 읽어볼 수는 있었다. 그랬기에 피라미드 주변의 황야에서 옌을 발견할 수 있었던 거기도 하고 말이다.

그렇게 수많은 시간을 따로 할애해서, 그들과 움직일만한 점퍼들을 모으기에 이르렀다. 거기까지가 약 이 년 여 반. 7명 정도의 치기 어린 점퍼들로 팀이 구성이 되자 윤민혁은 스스로를 리더라고 하며 적극적으로 움직이기 시작했다.

작고 왜소하고, 힘이 약한 그녀와는 달리 점퍼로서의 능력을 빼더라도 가진 것이 많아 보이는 자들도 있었다. 송일우나, 일본인 점퍼, 하야시 소는 그런 인물이었다. 그녀는 큰 체격과 막강한 완력을 지닌 하야시나 뛰어난 전투 실력을 가진 송일우를 동경하면서 약간의 질투를 했다. 송일우에게서는 싸움법을 배우려고까지 했으나 그녀가 할 수 있는 종류의 움직임이 아니었다.

어쨌든 그렇게, 팀이 완성되자 윤민혁은 더욱 적극적으로 움직였다. 공기관과 관련된 곳들도 서슴없이 침입을 하고 그들이 원하는 것들을 빼돌렸다. 주로는 귀금속 류의 물건들이다. 가끔은, 윤민혁이 따로 계획이 있는지 다른 이들은 한눈에 알아보기 힘든 중요한 정보들을 빼내었다.

공기관의 심처에 있는 자료를 백업해서 빼돌리거나, 공권력과도 연이 닿아 있고 세계적으로 영향력을 떨칠만한 선진국의 거부들의 저택을 드나들면서 다양한 정보들을 모았다.

고작 반년 여만에, 그들은 국제적인 범죄 조직들의 주요 고객이 되어 있었다.

순간 이동이 가능하고, 각종 총화기를 잘 다루며, 정면에서 싸운 다면 어떤 적이라도 이길 수 있는 실력을 가졌다면 점퍼가 할 수 있는 일들은 무궁무진했다. 그들은 뒷세계의 심리와 생리를 파악하며 그 속에서 암약했고, 각 조직들의 치부나 약점들을 들추고 적대 조직에게 제공하여 신임을 얻었다.

각국의 수뇌부, 최고위층이라 할 수 있는 부분들을 제외한 온갖 군데를 다 건드린 것 같았다. 그들이 다녀간 것을 아는 곳도 있었고, 심지어 모르는 곳들도 있었다.

그들은 뒷세계에 탄탄한 커넥션과 평생 써도 남을 듯한 돈, 그리고 부어버린 간덩이를 얻으며 윤민혁의 뒤를 따랐다.

그리고, 그렇게 일을 하다가 덜미를 잡힌 것이었다.

그녀, 옌의 시점에서 보기에 범죄 팀의 마지막은 이해하기 어려운 것에 가까웠다. 범죄자의 시선으로 본다면, 모든 일들이 잘 풀리고 있었다. 그리고 어느 순간인가, 핵심 전투 요원인 한국인 '송일우'가 보이지 않는다 하더니… 그다음 정기 모임에 참석하지 않았다.

첫 번째 불참은 대수롭지 않게 넘어갔다. 어쩌면 리더는 불길한 예상을 그때부터 했을지도 모른다. 송일우의 아이디로 인터넷 페이지에, 당일은 이전 작전에서 입은 부상이 심각하니 본인 없이 진행하라며 글이 올라왔다. 원체 제멋대로에, 예의나 싸가지라고는 없었던 이였기에 그렇게 심각하게 여기지 않았다.

그리고 바로 다음 모임, 알 수 없는 이가 찾아왔다. 키가 훤칠한 남자였다. 잘 차려 입은 수트에, 고급스러운 시계를 찬. 반반한 얼굴에 한국어로 무언가 지껄이는데, 리더가 이상한 반응을 보였다.

주로 윤민혁의 카리스마나 리더십에 이끌림은 받았던 그녀였기에 리더의 모습에 민감하게 반응했다. 비명을 지르듯 외치는 소리에, 곧장 도망을 친다.

그리고 지금의 신세였다.

돈이 없는 건 아니었다. 그러나 그녀는 딱히 갈 곳이 없었다. 그녀 혼자서 조직이 저질러 놓은 다양한 일들의 뒷감당을 할 수 있는 것도 아니다. 동남아 쪽을 돌아다니다 보면, 초기에 자금과 몸집을 불리기 위해 들쑤셔놓은 갱단들이 언제 어떻게 다가올지 몰랐다.

점퍼로서 도망가는 건 쉬운 일이었지만, 그런 만큼 쉽사리 일을 저지르고 나니 안전하게 살 수 있는 곳이 제한되었다.

지금의 한국은 딱 좋은 거처였다. 이곳에서 그녀는 눈에 띌만한 짓을 하지도 않았고, 팀의 일원으로서 모습을 감춘 채 도움을 주었던 것뿐이다. 이 나라의 뒷세계 조직들과는 연관이 되지도 않았다.

나라도, 휴전 중이라는 소식만 제외하면 평화롭고 치안이 좋은 곳이었다. 그녀가 가진 돈을 멍청하게 자랑하며 사람들의 시선만 끌지 않는다면 그녀를 찾을 사람은 별로 없을 테였다.

한국어에 그리 능숙하지 않은 편이라는 게 다소 문제라면 문제였지만.

몇 년을 윤민혁과 다니며 이야기했지만, 그녀가 한국어를 배우는 것보다는 윤민혁이 태국어로 이야기를 하고, 그녀가 영어를 조금 익히는 게 더 빠른 일이었다. 어차피 팀의 인원들 또한 국적이 달랐기에 주로 영어를 사용하고는 했었고.

정 알아 듣지 못하는 내용은 리더가 일일이 번역을 해서 팀원들에게 설명을 해주었다. 윤민혁은 적어도 세 개 언어를 할 수 있었으니, 팀원들이 사용하는 말을 모두 쓸 수 있었다.

한국에서도 영어를 사용한다면 영 소통이 안 되는 것은 아니다. 다소 소극적이 되고, 그녀 자신의 성격 또한 담대하지는 못한 편이기에 불편을 겪는 것뿐이다. 그래도 팀원들의 영향인지 한국에서의 삶이 나름대로 익숙한 부분도 있었기에 대중 교통을 이용하는 것 정도는 능숙하게 가능했다.

그녀는 앞으로의 계획 따위를 고민하면서 거리를 떠돌았다.

3.

옌은 몸을 웅크린 채 버스를 타고 있었다. 사람이 없는 시내 버스였다. 윤민혁이 수를 써서 만들어준 카드를 팀원들은 사용한다. 그녀는 그것으로 버스의 요금기를 체크하고 탑승했다.

그러고 보면, 다른 팀원들에게 문제가 생겼고 '추적자'같은 것이 있어서 그들의 행적을 쫓았다면, 그녀가 사용하는 카드 또한 문제가 될 터였다. 그녀는 문득 그런 생각이 들었다.

어쩐다, 카드를 버려야 할까. 하지만 카드는 당장은 편리했고, 어지간한 추격자라면 그녀의 능력으로 벗어날 자신도 있었다. 어디까지나, 상대가 점퍼가 아니라는 가정을 둔다면 말이다. 마지막에 윤민혁이 보였던 반응을 보면 상대는 상당히 위험한 종류의 추적자일 테였다.

그녀로서는 상대를 할 엄두가 나지 않는 윤민혁이나, 송일우가 당했다면 그녀 또한 조심해야 하는 것이 아닐까.

그렇지만 이미 그들 팀이 소식이 두절 된 뒤로 몇 주가 지났는데, 아직까지 소식이 없다면 추적자나, 추적자들은 그녀에게 관심을 끊은 것이 아닐까. 옌은 다양한 생각을 했다.

그녀는 사람이 적은 버스의 가장 뒷자리, 구석에 앉아 있었다. 동남아 계열의 인종임을 알 수 있는 전형적인 외형이었다. 작고 왜소한 체구의 여성이었고, 얼굴을 까무잡잡하다. 등까지 내려오게 기른 고운 흑발이 인상적이었고, 눈과 코 입이 큰 편이었다.

가만히 들여다보면 상당한 미인이었다. 그런 그녀가 무서운 척을 한다거나, 몸을 웅크리고 있다면 보는 이들의 동정심이 절로 일어날 만큼 말이다.

한국의 봄 날씨에 어울리는 옷을 입고 있었다. 종아리까지 길게 내려오는 베이지 색의 원피스에, 단화. 그 위에 얇은 자켓을 걸쳤다. 그녀는 몇 년을 해외에서 지내며 다양한 곳을 돌아다녔지만 아직도 태국에서의 날씨가 기본적인 온도였다. 그보다 기온이 낮은 곳은 유달리 춥게 느껴진다.

그녀는 갈색 자켓의 품을 여미며 버스의 구석에 몸을 기대었다.

그녀가 타고 있는 버스에는 사람이 적다. 성현대학교. 그녀가 탄 버스 정류장의 근처에 있는 한국의 대학교인 모양이었다. 이 인근에 그녀의 집이 있었다. 태국과 비교하면, 깔끔하고 발전된 동네였다. 방콕 역시 규모가 크고 사람도 많고, 고층 건물이나 기술력 따위를 엿볼 수 있었지만 아무래도 나라가 달랐다. 문화와 풍토가 달랐고, 사람들의 재산 상태도 다르다.

거리의 청결도 무엇보다 달랐고. 그녀는 서울이 깔끔하다고 느꼈다. 사람들은 다소 크고, 표정도 굳힌 채로 거리를 빠르게 걸어다니지만 그렇게까지 무섭고 낯설지는 않았다. 돈만 있다면, 제법 친절했고 살기 좋은 동네였다. 설령 말이 어눌하고 커뮤니케이션에 서툴다고 해도 말이다.

버스에는 그녀의 앞, 두 칸 띄워서 오른쪽에는 여성이 앉았고 왼쪽에는 남성이 타고 있었다. 둘 다 학생처럼 보였다. 그 앞에는 노약자석에 앉은 중학생 아이 하나. 그렇게 셋이 그녀를 제외한 인원의 전부였다.

그녀는 한산한 버스에서 몸을 말고 작게 한숨을 쉬었다. 타지에서의 삶이 나쁘지는 않았다. 별안간 끈이 떨어진 연처럼 어떻게 해야 할 지 알 수 없는 처지가 된 것 뿐이었다.

그녀의 인생에 제대로 된 계획이란 없었다. 그저 주어지는 대로 살다가, 약간의 불만을 느꼈고. 그녀에게 남다른 능력이 있었다. 그마저도 제대로 활용할 길이 없다가, 우연한 기회에 한 남자를 만나서 사용했다.

불법적인 일이었으나, 동참을 했다. 삶이 살아지는대로 그렇게 몇 년을 나름대로 보내다가, 다시 이 꼴이다.

지난 시간은 그녀에게 만져보지 못했을 액수의 금액과 약간의 담력, 능력을 사용하는 요령 따위를 주었지만 잃은 것도 있었다. 그녀의 고향이라고 할 수 있는 태국을 비롯해서, 동남아 쪽의 땅은 한동안 돌아가지 못할 것 같았다. 그녀는 직접적으로 행동을 일삼는 전투 요원은 아니었지만 가장 먼저 윤민혁과 만나서 이곳저곳을 들쑤셨던 팀원이었다.

그녀의 모습을 아는 뒷세계의 범죄 조직들도 꽤 있을 것이다. 그들이라고 정보망이 아예 없는 것도 아니었으니, 그녀가 막연하게 생각하는 것 이상으로 위험할 수도 있었다. 점퍼를 잡는 건 지식이 없으면 불가능에 가까운 일이지만, 조심을 해서 나쁠 일은 없다.

별안간 낯선 사내를 따라 나서며 벌였던 일 때문에, 가족과도 연락이 끊긴 채로 살아왔다. 이제 와서 다시 얼굴을 보이기에도 민망함이 컸다. 이때까지 벌어왔던 돈을 주는 일이라면 쉽겠지만, 그것을 가지고 가족들이 잘 감당하며 살 수 있을까도 고민이었다.

갑자기 주어진 커다란 부는 사람들의 삶을 예상치 못한 곳으로 끌고 갈 수도 있었다. 심지어 자금을 추적하는 조직원들 따위가 그녀의 가족에게 해꼬지를 할 수도 있다, 고 상상했다.

그녀는 배움이 부족한 편이었으나 기본적인 머리 회전이 둔한 쪽은 아니었다. 이런저런 생각을 하면서 고민만이 깊어진다. 몇 정거장을 지나자 앞자리에 있던 여대생이 내렸다. 조금 더 시간이 지나 남학생이 내리고, 그녀 또한 버스를 내렸다.

때때로 이렇게 동네를 걸으면서 생각을 정리한다. 마음속이 시커먼 고민으로 가득 차 있는 것 같았는데, 주변 사람들의 분위기에 동화가 되듯이 조금 정리되는 기분이 들기도 했다. 어쨌건, 몸을 움직이는 건 정신에도 좋은 습관이었다.

그녀는 일단 평화로운 한국의 동네 분위기에 물들기로 했다.

버스 정류장에서 내린다. 대학가에서 그리 멀지 않은 곳의 주택가였다. 조금 걸으면, 그녀의 위조된 신분으로 사둔 작은 빌라가 있었다. 그녀는 그곳에서 머물고 있었다.

*

옌 쩻 티아마는 다소 난감한 처지에 처해 있었다.

22년, 5월 25일. 수요일.

오후 4시 반을 조금 넘고 있는 시간이었다. 한국의 시간이 기준이었고, 그녀는 남한의 서울에 있었다. 성북구 성현대학교 인근에 위치한 그녀의 빌라에서, 옌은 원하지 않는 불청객을 맞아들이고 있었다.

"여어, 윤민혁을 리더로 둔 범죄자 팀의 2인자이자 점퍼 추적술의 대가인 옌 쩻 티아마, 24세(한국 나이로)가 아닌가. Hey, isn't it, 24 years old (Korean age), Yen Zet Tiama, the second in charge of the criminal team with Yoon Min-hyuk as the leader and the master of jumper tracking?"

이런 미치광이 같은 인사말을 건네는 사람은 분명 제정신이 아닐 확률이 높았다. 옌이 그런 정신이상자를 맞이한 건 그녀의 빌라 방 안이었다.

최근의 일상대로 오후 지나서 산책을 하고 집에 돌아왔을 때, 그녀는 평범하게 비밀번호를 누르고 문을 열었다. 작은 빌라 전체가 그녀의 소유였고 그녀는 개중에서 가장 높은 층의, 가장 넓은 집을 주로 사용하고 있었다.

5층에 다다라 한 번 더 현관을 열었고, 신발을 벗었다. 신발장과 내부를 가리는 가림막을 슬쩍 밀어 열고 집의 거실에 발을 디뎠다. 걸쳐 입은 재킷을 벗으며 적당히 거실 소파에 누워 쉬려고 할 때

안방의 문이 열리며 누군가가 나왔다.

그러면서 하는 소리였다.

옌은 근래 들어 자신이 자주 놀란다고 생각했다.

그러나 어쩔 수 없었다. 원래 담이 작은 편이기도 했으나, 이건 그녀의 담의 문제는 분명 아닐 것이다.

자신의 집에서 모르는 인간이 튀어나온다면 누구나 놀래게 마련이다. 그것도 그 얼굴이 어딘가에서 스쳐 지나가듯 마주친 인간이라면. 그녀는 그의 인상착의를 아직도 선명하게 기억하고 있었다.

폐공장에서, 그녀와 팀을 쫓아낸 무지막지한 점퍼였다. 훤칠한 키에 약간 붉은 기가 도는 검은 양복을 입고 다니는 인간. 인상이 부드러운 한국인 청년이었다.

어느 카페에서 그를 만났다면 눈웃음이라도 지으며 친절한 미소로 인사를 주고받고 지나칠 수 있었을 것이다. 미남이기도 했고, 대체로 미의 기준이라는 건 일맥상통하는 부분이 있는 법이었으니. 국적에 상관 없이.

그러나 그녀에게 그 미남은 집안을 침범한 괴한이었고, 동시에 그녀를 추적해온 정체불명의 조직의 싸움꾼이었으며, 마지막으로 본인의 신상명세를 다 알고 있는 협박자이기도 했다.

옌은 잠시 고민을 했다. '혼절을 해버릴까.' 그다지 좋지 않은 선택지였다. 눈앞에 있는 자가 지독한 성격의 소유자라면 기절한 그녀를 데리고 치료를 해서라도 본인의 목적을 이룰 테였다.

그리고 옌은 우선, 소리를 질렀다.

"아아악!"

놀랄 때 비명을 지르는 건 제법 괜찮은 습관이었다. 완전히 퓨즈가 끊어지듯 정지한 사고를 다시 돌리는 준비 운동이 되기도 한다. 사람은 놀랐을 땐, 놀란 감정을 표현하기도 하고 내면을 드러내면서 다시 평균 회귀를 하는 법이었다.

소파에 앉아 있다가 그를 맞이하고 냅다 소리를 지르는 그녀를 보면서, 괴한, 홍인수가 다시 입을 열었다.

"음…. 비명을 지르는 건 그다지 좋은 선택지가 아니야. 차분하게 대화를 하는 걸 골라줬으면 좋겠는데, 나는."

옌의 입장에서는 한없이 동의할 수 없는 의견이었다. 놀라게 하질 말던가. 설령 그녀의 신변을 위협하는 비밀 조직의 일원이라고 하더라도 이것보다는 조금 더 좋은 등장 방법이 있었을 테였다. 이런 식으로 나타나다가 심장 마비로 본인이 쓰러지기라도 했다면 어쨌을 뻔했는가.

그녀가 지내고 있는 빌라 집의 내부는 깔끔하고, 단출한 편이었다. 별다른 가구도 없고, 그저 건축 당시에 기본적으로 내장된 인테리어에서 손댄 것 없이 그대로 둔 모양이었다. 흰 톤과 민트색에 가까운 포인트로 이루어진 실내. 몇 가지 빌트인 된 목재 가구가 있었고, 그녀가 사들인 건 누워서 쉴만한 소파 정도였다. 안방에는 작은 침대가 하나 있다.

슬리퍼를 신고 소파에 누웠다가 비명을 지르며 일어난 그녀는 홍인수의 말에도 소리를 멈추지 않았다. 도리어, 양팔을 붕붕 휘두르거나 입 근처에 대거나, 자신의 얼굴 주변 여기저기를 만지면서 패닉 상태임을 적극적으로 표현했다.

"아아아악!"

아무리 미인이어도 실성을 하는 꼴까지 가는 건 봐주기 어려운 모습이었다. 홍인수는 이번에는, 민서의 집을 침입했을 때와는 달리 정중하게 신발을 벗고 있었다. 그의 신발은 사실 보이진 않지만 그녀가 들어오면 바로 옆에 보이는 신발장 안에 넣어져 있다. 보통은 문이 닫혀 있었고, 그녀 혼자서 많은 신발을 바꿔가며 신는 것도 아니기에 들어올 때 열면서 보지는 않는다.

혹시 열었고, 그녀가 조금만 눈썰미가 좋았다면 의심스러움을 느끼고 바로 도주를 선택 했을 지도 모르는 일이다. 다만 그녀는 그러지 않았고, 정면에서 홍인수를 맞닥뜨려야 했다.

그녀가 그 한국인 남성에게 가지고 있는 인상은 충격적이고 선명한 것이었다. 본인들의 영역이라 생각했던 폐공장에 아무런 전조도 없이 떡하니 나타났고, 7명이나 되는 패거리들 앞에서도 조금의 긴장감도 보이지 않으며 여유를 떨었다.

그리고 그 모습 그대로 움직였고, 도리어 그들의 리더이자 정신적인 지주였던 윤민혁이 떨게 만들었다. 그녀가 당시 폐공장에서 도망치기 직전에 보았던 장면은, 눈 앞의 남자가 팀의 거구인 일본인 남성을 한 번에 쓰러뜨리는 모습이었다. 그 다음에 리더의 외침이 있었고, 옌은 그 즉시 상황과 장소를 벗어났다.

지금 생각을 해본다고 해도 현명하고 빠른 결정이었다. 다만 그녀의 인생 전반적인 흐름 자체가 현명함과 다소 거리가 있었을 뿐이었다. 순간순간, 당면한 과제들에 대한 선택들은 그다지 나쁘지 않았다. 그것 때문에 그녀가 여태까지 멀쩡하게 살아있을 수 있는 것이었으니. 다만 인생의 전체적인 흐름과 방향을 결정하는 것, 거국적인 선택들에 대해서는 늘 좋지 않은 길을 선택해왔다. 그랬기에 지금 눈앞에 저런 괴물같은 남성을 두고 있는 것 아니겠는가.

옌은 물리적인 힘에는 별로 자신이 없었다. 유일하게 상대를 놀래킬만한 재주인 '점프' 또한 그렇게 예리한 감각을 가지고 있지는 못했다. 물론 상대의 점프를 느끼는 분야에서는 그녀만큼 예리한 자가 드물었지만, 사용의 영역으로 가면 세계에 존재하는 전체 점퍼의 평균값을 낸다고 해도 평균 아래였다.

발로 도망치는 것도, 아마 높은 확률로 추격적을 벌이며 점프로 시간을 버는 것도 좋은 수가 아닐 테였다. 옌은 위기 상황 속에서 생명의 유지를 위해 가까스로 결론들을 내렸다. 말했듯, 그녀는 그다지 머리가 나쁜 편은 아니었다. 배움이 없고 전체 목표를 잘못 세우는 경향이 있을 뿐이다.

홍인수는, 텅텅 빈 넓은 빌라 집의 거실에서 혼자 비명을 지르고 빙글빙글 돌면서 난리를 피우는 아가씨를 일단 진정 시키기로 했다. 생각해보면, 최근 들어서는 누군가를 진정시켜야 했던 일이 많았던 것 같다. 물론 그런 일은 따져보면 드물었지만, 그가 점프를 사용하고 조직에 들어와서 겪었던 일들을 바라보면 근 몇달 간은 나름 특이한 시간이었다.

김민서를 만난 것도 그렇고, 그 주변에서 엉뚱하게 민간인과 또 맞닥뜨린 것도 그러했고. 지금 옌이라는 범죄자 점퍼 하나를 앞에 둔 상황도 그러하다. 보통 그는 임무에 나서면 험악하고, 싸울 의지가 충분하고, 자신만만하게 달려드는 범죄자나 미치광이, 테러리스트들을 상대한다.

말로 해결할 수 없는 분위기 속에서 그의 특기랄 만한 싸움 실력을 발휘해서 반강제적인 협조와 이해의 단계를 끌어내는 것이 익숙한 그는 눈앞의 아가씨에게 무력을 사용하는 일에 대해 고민했다. 그가 천천히 움직였다. 옌에게 다가서며 말을 한다. "진정을 좀 하는 건 어때요." 그들이 떨어진 거리는 고작해야, 네다섯 걸음 정도였다. 집의 내부는 그렇게까지 크지 않았다. 굳이 잰다면 20평을 조금 넘는 정도. 그녀가 들어오며 켠 거실의 LED 등과, 홍인수가 나오면서 켠 거실 방의 불빛이 실내를 밝혔다. 물론 시간 또한 늦은 때가 아니라 거실의 창문을 통해 들어오는 햇살도 쨍쨍하다.

옌은 물론 홍인수의 말을 듣지는 않았다. 그녀는 그렇게 요란스럽게 소란을 떨었다. 그러면서 머릿속으로 오만가지 생각들을 해냈다. 도망칠까? 할 수 있을까? 지금일까? 아마 안 되겠지? 나는 잡히는 걸까? 윤민혁은 어떻게 된 걸까?

그러다가 발작적으로, 그리고 반사적으로 움직였다. 발걸음으로 걸은 움직임은 아니었다. 점퍼로서의 움직임이었고, 공간적 개연성이 삭제된 걸음이라고 말할 수 있었다. 그렇기에, 걸음이 아닌 '뜀'이라고 표현한다. 점프.

후욱.

홍인수가 채 다가오기 전에 그녀는 점프를 해냈다. 빌라의 거실에서, 옌은 한참 제자리에서 빙글빙글 돌고 팔을 휘두르고 소리를 질러대고, 원피스의 치맛단이 나부끼고 긴 머리가 헝클어지도록 움직이다가 사라진 것이다.

홍인수는 눈앞에서 놓쳐버린 점퍼의 흔적을 훑었다. 점프 에너지 JE는 점프의 발동 전후에 미리 등장하고, 늦게 사라진다. 이에 대한 감각이 없는 자들은 느끼지 못하지만, 점퍼로서 노련한 이들은 눈에 보이듯이 그것을 잡아채어 심지어 상대가 이동한 자리까지 추격하는 게 가능했다.

희미한 연기처럼 남아 있는 JE의 잔향에는 상대가 시행한 도약의 데이터 또한 남아있기 때문이었다. 수 초 정도의 텀이라면, 그리고 능숙한 자라면 손쉽게 할 수 있는 일이다. 홍인수는 물론 누구보다 능숙한 편이었고 말이다.

옌이 떠날 때와 비슷한 소리가 들렸다. 서울의 집에서 두 남녀가 사라졌다.

*

후욱, 하고 옌이 점프를 해온 곳은 어느 바닷가였다. 그녀에게 익숙하고 친숙한 장소였다. 본능적으로 어딘가로 도망가야 한다고 했을 때, 가장 먼저 떠오른 위치 데이터를 사용해서 점프를 해왔다.

에메랄드빛 바다. 그녀가 점프를 이용해서 가본 곳들 중에서 특히나 마음에 드는 곳이었다. 고향인 태국과 같은 동남아의, 필리핀의 맑고 얕은 바닷가였다.

하얀 모래사장의 모래가 사각거리며 그녀의 발에 밟혔다. 그녀는 빌라의 내부에 있다가 이동을 해온 터라 맨발바닥이었다. 고운 모래 입자가 발가락 사이를 흐른다.

하얀 모래 너머에 조용하게 파도치는 바다가 있었다. 이곳 해변의 수심은 얕은 편이었고, 제법 먼 거리까지 나가야만 조금 깊다 싶은 물이 모여 있었다.

그녀는 본능적으로 틈을 벌리고 점프를 성공시켰다. 그러나 온전히 그녀의 운이나, 노력 혹은 능력의 덕분은 아니었다. '홍인수'는 눈앞에서 옌이 사라지려는 걸 보고도 정확히 막지 않았다. 그의 신체적 조건이라면 한달음에 움직여서, 그 낌새가 나타났을 때 곧바로 몸에 손을 얹고 재밍을 해낼 수 있었음에도 말이다.

비단 그 이유는 단순히, 그가 언제든 옌을 손쉽게 잡을 수 있다는 사실 때문이었다. 윤민혁 정도로 단련되고 노련한 점퍼가 아니라면, 조직의 '소드 마스터'로부터 감히 추적전을 시작할 수도 없었다. 옌은 전투나 전략에 있어서는 초보에 가까웠다. 그녀는 가진 바 특수한 능력을 활용해서 팀에 도움을 주는 특별한 개성의 멤버였다. 개인적인 활약이나 능력이 뛰어난 존재가 아니다.

옌이 도약을 하고, 차마 채 정신을 차리기도 전에 턱, 하고 그녀의 어깨에 얹어지는 손 하나가 있었다.

홍인수는 옌을 일부로 한 번 놓아주었다. 그편이 오히려 더 쉽게 회유를 할 수 있을 것 같아서였다. 압도적인 능력의 차이를 보여준다면 쓸데없는 점프의 소모를 없앨 수 있으리라 생각했다.

그러한 능력의 차이는 여실히 드러났다. 홍인수는 그녀가 낌새를 보였을 때 점프를 준비했고, 그녀가 사라지자마자 위치 데이터를 사용해서 같은 위치로의 도약을 따라붙었다. 옌이 바닷가에 모습을 드러낸 거의 직후, 그가 모습을 드러냈고 홍인수는 시야가 회복되기도 전에 움직였다. 그에게 중요하고 알 수 없는 변수는 옌의 몸의 방향 정도였다. 그러나 어깨에 손을 얹는 것 정도는 몸의 방향과 상관없이 이룰 수 있는 동작이다.

홍인수는 시야가 회복되기도 전에 반사적으로 움직여서 옌에게 손을 올렸다. 옌 역시 이것이 무엇을 의미하는지 정도는 알았다. 그녀는 처음에 점퍼로서 능력을 사용했지만 아는 것이 전무 했었다. 그러다 윤민혁을 만나고 다양한 상식과 규칙 따위들을 알았다. 재밍에 관한 것, 단체 도약에 관한 것, 그리고 다른 이들은 사실 자신처럼 점퍼의 존재를 쉽게 찾을 수 없다는 점.

그녀 또한 다른 점퍼를 쉽게 찾아내는 건 아니었지만, 다른 이들의 눈에 볼 때는 한 없이 쉬이 해내는 일처럼 보이는 것 또한 사실이다. 그녀 같은 감지의 능력이 없다면 무작정, 추리를 하면서 점퍼가 있을 만한 곳을 들쑤시는 것 외에는 없었다.

평범한 점퍼라도 몇 걸음, 몇 미터, 정도의 반경에서 JE가 발생하면 감지는 할 수 있었다. 그러나 그녀처럼 아예 단위가 다른 경우는 극히 드문 것을 넘어 없는 수준이었다. 고래로부터 지금까지 있어왔던 기록 너머의 수많은 점퍼들 중에서, 그녀와 같은 이가 있었을 지는 알 수 없다. 다만 생존력이 높지 않았을 테니 그러한 지식이나 정보, 가치가 이는 무언가들이 중간에 누락 되었거나 알려지지 않았을 확률 또한 있다.

적어도 확보가 가능한 근대에서 시작되는 모든 점퍼들에 대한 지식들을 뒤져 보아도, 옌 같은 돌연변이는 처음 나오는 일이었다.

그리고 그것이 홍인수가 옌을 쫓아온 이유였다. 그는 옌을 필요로 했다. 정확히 말하자면, 그의 조직이 옌을 필요로 했다.

최초에 그가 범죄 팀을 덮쳤을 때는, 단순하게 점프를 범죄에 유용하는 질 나쁜 집단이 있기 때문에 그들을 무력화시키기 위해서였다. 그리고 그 과정에서 여러 사람을 잡아들였고. 가장 중요한 대장을 잡아넣는데 성공했고, 그 외에 전투원처럼 보이는 몇몇을 잡았다.

어차피 여러명이 된다고 해도 기지 내에서 동시에 수용 가능한 구류 인원은 한계가 있었기 때문에 적당히 한 것도 있었다. 범죄 팀은 팀일 때에 극히 거슬리고 위험했지, 해체된 이후에 그들이 할 수 있는 일은 훨씬 줄어들 가능성이 높았다.

그리고 당시 폐공장에서, 홍인수의 판단에 따르면 동남아시아 여자와 백인 남성은 그렇게 큰 배짱을 갖고 있지 않은 것처럼 보였다. 잔챙이는 놓아 주더라도, 중요한 인물들에 집중하자는 심산이었다.

그리고 실제로 그 둘은 팀이 해체된 이후 별다른 사건을 벌이지 않고 조용히 있었고 말이다. 다만 윤민혁의 이야기를 들으면서 상황이 달라졌다. 그가 짧은 시간 내에 손쉽게 점퍼 팀을 꾸릴 수 있었던 이유. 그는 오랜 기간의 신문 동안 많은 것들을 토해냈다.

개중에 옌에 대한 정보가 있었던 것이다. 점프 능력에 대한 다양한 변용은, 조직에서 가장 간절히 찾고 있는 가능성이기도 했다. 점프 그 자체에 대한 연구의 진보를 위해서도 필요했지만, 효과적으로 점퍼라는 초능력자들을 통제하고 세계 정세의 안정화를 위해서 간절하게 필요한 능력들이었기 때문에 그렇다.

단순한 점프 능력만으로 겨루기에는, 너무나 많은 소모가 필요했다. 당장 근접 전투 요원인 리시버나 소드 마스터도, 그들 자체의 전투에 대한 재능이 있기 때문에 다른 이들을 압도할 수 있는 것뿐이지. 조직적으로, 그리고 환경적으로 다른 점퍼들을 온전하게 제어할 수 있느냐고 묻는다면, 조직은 다소 불안한 처지였다.

언제 태생적으로 강력한 점프 능력, 곧 수많은 섬프 횟수를 가지고 강력한 힘을 타고 났으며 배짱을 가진 싸이코 점퍼가 나타날지 알 수 없었고, 만약 그런 천문학적인 확률을 뚫고 그런 존재가 나타난다면 점퍼 조직으로서 할 수 있는 일은 굉장히 제한적이었다.

물론 그들이 거느리고 있는 수많은 연합에 의존해서, 다짜고짜 화력망을 구축해서 잡아볼 수는 있을 테였다. 굉장히 어려울 테였지만.

그런 점퍼를 상대하기 위해서는, 일반적인 점퍼 요원 수 명과 비 점퍼 요원 십수 명이 필요했다.

어차피 개인이 가질 수 있는 점프 에너지는 한계치가 있었으므로, 수 명의 점퍼들이 연계를 이루어서 동시 다발적으로 재밍을 걸어대고, 단체 도약을 걸어대고, 상대의 JE를 바닥내고 정해진 위치로 끌고 와서 제압을 하던 화력으로 단숨에 끝장을 내던 해야 하는 것이다.

그 과정에서 상대가 만약, 극히 드문 확률로 소드 마스터 같은 존재가 나타난다면 이제 수많은 사상자나 희생을 감내해야 할 수도 있는 것이고 말이다.

그런 단순한 대치의 상황에서 조직에게 새로운 가능성은 언제나 간절하다. 민서의 존재도 마찬가지였다. 자연적인 재밍 장치, 혹은 점퍼에 대한 탐지 장치. 옌이나 민서를 적극적으로 활용한다면 지구상에 존재하는 수많은 점퍼들에 대해 선제적으로 대처할 수 있었고 그들이 함부로 다른 이들에게 피해를 주는 존재로 자라나지 않도록, 막거나 제어할 수 있을지 몰랐다.

옌은 윤민혁과 함께 많은 잘못을 저질렀던 범죄 팀의 일원이었지만, 어쨌든 그 능력은 유용하게 쓰일 만한 건덕지가 있었다. 홍인수는 옌의 어깨에 손을 얹고 있다.

"윽."

옌은 신음처럼 비명을 흘렸다. 그녀는 바닷가쪽을 바라보고 서 있었다. 홍인수는 그런 그녀의 바로 뒤에 서 있었다. 서로 마주보지 않고, 한 쪽을 바라본다. 홍인수가 말했다. 바닷가와 두 남녀, 제법 로맨틱한 상황이었지만 그가 건네야 하는 말은 그런 것과는 다소 거리가 있는 내용이었다.

"나는 성격이 급한 편이니 빠르게 설명을 해주지. 태국어는 못하니까 영어로. 윤민혁이 말하던데, 가끔 영어로 설명을 하면 이해가 늦는 면이 있었다고. 못 알아들으면 질문을 다시 해. 몇 번이든 설명을 해줄테니."

그가 이어 말했다.

"나는 '점퍼 조직', 이라고 대충 기억하고 있으면 될 어딘가의 일원이다. 그리고 그것은, 이름 그대로 점퍼들이 모여있고, 점퍼들의 과도한 반사회적 행동을 막기 위해서 존재하는 집단이지. 너희들은 그야말로 점프 능력을 사회와 공동체의 혼란을 증가시키는 방향으로 마음껏 써주었어.

우리가 사법적인 권한을 갖고 있지는 않지만, 대강 현장 판결에 의해서 적당히 결론을 내리고 심각한 수준의 싸이코들에 한해 비슷한 역할을 하고는 있지. 어쨌든 절차도 중요하지만, 눈앞에서 맛이 간 채로 몇 명이든 죽일지 모르는 미치광이를 마냥 방생할 수도 없는 노릇이라서 말이야.

그런 점에서… 뭐 설명하자면 길지만 대강 사법 거래나 비슷한 종류의 제도 또한 있지. 우리는 늘 사람과 능력이 부족하고, 상대해야 할 재난들은 아주 많거든. 네 능력은 그런 거래의 대상이 되기에 충분하다. 얌전히 붙잡혀서, 우리를 위해서 조금 일하지 않겠나?

선을 벗어나지 않는다면 네가 저질렀던 범죄들은 앞으로의 임무들을 통해서 눈감아 주는 걸로 할테니. 물론 그러지 않는다면, 당신 어깨에 내 손이 올라간 그 순간부터 내가 할 수 있는 단순하고 쉬운 방법을 사용해서 다른 결말로 직행을 할 거야.

사이 좋게 네 팀의 리더였던 이와 같이 어딘가의 감옥에 넣어서 생활을 하게 해줄 테지. 점프를 이용해서 벗어나면 폭발하는 구속구 따위를 찬 채로 말야."

바닷가의 물결이 햇살에 비친다. 시간은 한낮이었다. 사람이 얼마 없는 아름다운 해변가. 연인들끼리의 아름다운 밀어를 속삭이면 딱 좋을만한 자리였다. 그러나 옌이 듣고 있는 건 빠르고, 낮고, 거친 영어로 표현하는 협박의 말이다. 제대로 선택을 하지 않는다면 그녀는 감옥에 처넣어지게 생겼다.

옌은 왠일로 그의 말을 잘 알아들었다. 영어는 그녀가 한국어보다는 잘하지만, 완벽하지는 않았으므로 종종 놓치는 경우가 많이 있었는데. 극한의 상황 속에서 집중력이 올라가고 히어링hearing(듣기)이 뚫렸는지도 모른다.

그녀는 시야를 회복한 순간부터, 바닷가를 바라보고 있었다. 어깨에는 홍인수의 손이 느껴진다. 뒤로는 그녀보다 한참은 키가 큰 남자가 있었고 그가 지껄이고 있다. 태양빛이 아름답다. 지구상에 어디로 가던, 점퍼들은 똑같은 태양과 하늘 아래 선다. 그건 그들이 벗어날 수 없는, 동등한 인생의 무대를 표현하는 듯도 했다. 그들은 초능력자였지만, 한낱 인간이었다. 특별한 능력을 가졌다고 다른 처지를 얻는 건 아니었다.

남들보다 조금 더 빠르게 움직일 수 있을 뿐.

옌은 짧은 순간에 많은 생각들이 머릿속에서 지나쳐 가는 것을 느꼈다. 상황이 이 지경까지 오자 오히려 패닉이 찾아드는 것 같았다. 혹은, 그녀가 마음속으로 즐겨 그리던 바닷가에 다시 와서 그랬는 지도 모른다.

옌은 어차피 선택지가 하나밖에 없다는 걸 깨달았다. 그녀는 고개를 돌리지도 않은 채로 천천히 끄덕거렸다.

"제가… 어떻게 협조하면 되죠."

순응적인 태도였다. 홍인수로서는, 아주 만족스러웠다.

"좋은 태도야. 우리는 웬만하면 불법적인 일은 지양하지. 나름대로 보람도 얻을 테고. 일상적인 삶을 살아가면서 사회를 위해서 일해보자고."

툭, 툭. 하고 홍인수가 어깨에 대고 있던 손을 살짝 떼며 두드렸다. 손가락이 떨어지는 그 순간에 옌은 다시 도약으로 도망가는 상상을 했지만, 반 호흡의 반의 반도 안되는 순간이라 도약을 준비하고 실행하기에는 모자랐다.

그리고 그 정도의 타이밍은 홍인수도 알고 있었기에 여유롭게 하는 행동이기도 했다. 홍인수가 말했다.

"경치가 좋군. 네 선택은 이 광경을 앞으로도, 계속 볼 수 있도록 네 삶을 이끌어 갈 거야. 멍청한 결정을 하지 않은 걸 축하한다."

어딘지 모르게 신뢰가 가는 음색이었다. 정말로 그렇게 될 것도 같았다. 어쨌든, 옌의 선택이 그녀의 삶을 어디로 이끌어 갈런지는 미래가 되어 보아야 알 일이었다. 그 사이에 있는 그녀 스스로의 다시 결정할 수많은 선택들이 영향을 미칠 테였고.

조직은 이렇게 점퍼 탐색기를 얻었다. 재밍 장치와 탐색기. 그들은 조직적으로 움직이면서, 점퍼들을 관리하기 위한 인프라를 조금씩 구축해 나갔다. 인프라라고 해보아야, 아직은 가능성에 불과하지만 말이다. 겨우 등장한 돌연변이같은, 능력의 변질일 뿐이었다. 한 세대가 지나고 이러한 특이 능력자가 없다면 조직이 구축할 제어망은 아무 짝에도 쓸모가 없게 된다.

그 사이에 점프에 대한 연구가 발전해서, 조금이라도 사람들이 그것을 유용할 수 있는 세대가 된다면 이야기가 달라지겠지만 말이다.

그런 시대가 올 지는 알 수 없는 노릇이었다. 사실 점프라는 능력은 그 자체로 미지의 것이었다. 어느 날 갑자기 발견이 되었던 것처럼, 어느 날 아무렇지도 않게 전 세계에서 자취를 감추어도 이상할 것이 없는 일이었다.

홍인수는 그대로 옌의 어깨에 손을 대고, 도약을 했다. 옌은 도약 재밍이나, 단체 도약의 거절로 거부하지는 않았다. 이대로 길고 지루한 추격전을 한들 결과는 뻔히 볼 수 있는 것이었다. 옌은 감정적이었고, 담력이 작았고, 발작적으로 행동할 수 있었지만 이성의 기능이 사라지지는 않았다. 말했듯, 지식은 적어도 머리 회전이 느린 편도 아니었고.

홍인수는 그녀를 데리고 그대로 조직의 기지로 이동했다.

***

김민서는, 송일우와 대치하고 있었다.

조직의 기지 내의 일이었다. 그들은 훈련실에서 서로를 마주보고 눈빛을 교환하고 있었다. 애정이 넘치는 편은 아니었다. 뭐 우정이야 넘치는 편이었고, 친교야 다질 수 있었지만. 어쨌든 지금 그들이 하는 일은 다소의 날카로움이 필요한 일이었다.

송일우는 김민서의 대련 상대가 되어주고 있었다. 김민서는 아직까지도 여전히, 주말이 되면 점퍼의 기지에 와서 체력 단련을 하고 대인 전투의 훈련을 한다.

주로 홍인수가 교관이 되고 김만철이 PT트레이너가 되어서 그를 마구잡이로 굴리지만, 몇주 차인가가 지났을 때 부터는 다양한 인원들이 그를 조금씩 상대하기도 했다.

리시버나, 조직의 다른 비점퍼 요원들도 몇 번인가는 오며가며 그를 상대했다. 홍인수는 그에게 최대한 다양한 스타일의 근접전을 겪게 해주려는 의도였다. 주먹을 잘 쓰는 이도 있었고, 발차기를 유연하게 다루는 이도 있었다. 유술, 주짓수 따위를 주특기로 하는 이도 있었고. 총이나 칼을 전제로 하고 움직임을 하는 이들도 있었다.

점퍼도 있었고 비점퍼도 있었다. 김민서는 생각보다 재능이 있는 편이었다. 정확히 말하자면, 흡수력이 빨랐다. 다시 더 정확히 말해보자면, 머리에 나사 하나가 풀려 있는지도 몰랐다. 그는 겁이 그렇게 많지 않았다.

홍인수나 송일우와의 첫 만남을 생각해보면 겁이야 아주 많은 편이었지만, 그것은 어떤 상황이 벌어지기 전의 일이었다. 그가 물러설 곳이 없이, 싸움의 상황 내에 들어가게 된다면 김민서는 겁이라는 것을 생각하지 않는 사람처럼 움직이고는 했다.

그건 격투기나 대인 전투에 있어서 꽤나 쓸만한 장점이었다. 어느 정도, 몸이 굳는 것보다는 그래도 유연하게 움직이고 생각한 바대로 다양한 전략들을 수행할 수 있는 배짱이 있는 편이 괜찮았다. 그것도 이도저도 아닌 애매한 수준의 전략이나 솜씨라면 명을 단축할 수도 있었지만, 홍인수나 김만철은 일단 애매한 스승이 아니었다. 그들은 김민서가 최대한 오래도록 살아남을 수 있도록 잘 가르쳐 줄 생각이었다.

그가 전면에 나서며 의뢰를 수행하거나 싸울 일이 있는 지는 알 수 없었지만. 일단 조직에 속한다면 최소한의 호신술은 필수적으로 익혀야 하는 것이었다. 어쨌거나 그들은 수많은 범죄자들을 무력으로 제압하고 또 전투 상황에 언제나 들어갈 지 모르는 용병단에 가까운 것이었으니 말이다.

사적으로 힘을 빌려 주는, 초국가적인 경찰 단체라고 해도 좋았다. 물론 그들이 경찰로서의 권위나, 명예나, 직접적인 권한 따위는 전혀 없었지만. 어쨌든 그들이 하는 일은 그런 것 비슷한 일이었다. 실제로 많은 각국의 수뇌부와 연계를 해서 일을 하다 보면 그런 기분이 들기도 한다.

점퍼 조직이 어떤 명예의 종류를 챙겨주는 일은 아주 힘들었다.

애초에 점퍼라는 것 부터가 사회에서는 드러나서는 안 되는 존재였으니 말이다. 대신 조직은 조직에 속해 있고 현역으로 뛸 때 대우를 잘 해주는 편이었고, 봉급도 센 편이었다.

누구도 대체할 수 없는 능력을 빌려주는 대가로, 그들은 꽤나 두둑한 양의 돈을 받고 있었다. 그리고 조직의 리더는 그런 돈을 조직원들에게 분배하는 것에 그리 아까워하지 않는 인물이었다. 그건 조직의 모토이기도 했다. 어떤 대수의 리더였든 간에, 공통적이었던 말이다.

"흡."

어쨌든 송일우와 김민서는 대치하고 있었다. 김민서는 이제는 그 방이 익숙해질 지경이었다. 한 주에 이틀. 주말동안 거의 하루 종일을 그 방에 갇혀 있었다. 처음 김만철을 만난 곳. 넓고, 흰 톤에, 특색은 없다. 레크리에이션이라도 가능할 정도로 넓은 방의 바닥은 반탄력이 있고 실제로 넘어져보면 몸이 그렇게 상하지 않는 종류의 것이었다.

벽면 또한 마찬가지로 푹신한 종류였다. 그리고 각종, 최고급의 보호 장구 따위들을 차게 된다면 다칠 일은 별로 없다. 극한의 상황(김민서에게는 충분히 그러했지만)이라기 보다는, 정확하게 홍인수 등의 교관들이 줄 수 있는 자세로 계산된 데미지만을 입히면서 훈련 시간을 보내기 때문이었다.

여기저기 홈집이 나 있는 듯하고 어딘가 손때가 묻은 듯도 한 그런 훈련실이었다. 조직의 기지 자체는 어딜 가나 홈을 찾을 수 없을 정도로 깔끔한 분위기였지만, 이곳에 녹아든 사람들의 시간과 그 시간 속의 격렬했던 흔적들은 어딘지 지울 수 없는 분위기로 그 곳에 남아 있었다. 민서는 그런 분위기가 제법 마음에 들었다. 나쁘지 않았다.

오늘의 대련은 홍인수가 준비한 것이었다. 어느 정도 송일우 또한 조직의 신뢰를 얻어가던 차였고, 또한 김민서에게 다른 유형의 자극을 주고 싶었기 때문이다. 그건 싸움의 내용적으로도 그러했고, 외적으로도 그러했다. 그간 그가 한 건 두들겨맞은 것 밖에 없었지만, 나름대로의 커리큘럼을 가지고 두들겨 맞았다.

그리고 그런 시간의 효과가 있다면, 처음 그가 만났던 싸움꾼인 송일우와 맞섰을 때 어느 정도를 할 수 있는지 대충 드러날 테였다.

그전까지 따로 운동을 배워본 적이 없는 일반인에서 격투기 프로의 수준에 가까운 싸움꾼을 상대로 얼마나 버틸 수 있게 되는지.

송일우는 조직 내에서 다양한 임무를 하고 시간을 보내며 기색이 누그러들었지만 특유의 흉흉한 기세는 쉬이 사라지는 게 아니었다. 애초에 전투 스타일 자체도 지나치게 와일드하고 언제 어떻게 될 지 모르는 것이었다.

김민서는 자신의 실력에 대한 확신은 없었지만, 적어도 홍인수보다는 덜 할 것이라 생각했다. 그보다 더 한 사람에게 두들겨 맞으면서 배웠던 경험이 있으니, 적어도 견딜 수는 있을 것이다.

"준비."

김민서는 종아리를 보호하는 펑퍼짐한 각반, 글러브, 몸통 부위와 갈비뼈 정도를 감싸는 푹신한 플라스틱 갑옷을 입고 있다. 머리에도 외부 충격에서 내부를 거의 완벽하게 보호하는 헤드 기어를 끼고 있었고. 진동 또한 잘 전해지지 않아서 시중에 풀린다면 단점이 없는 헤드 기어로 무수하게 팔릴 법한 물건이었다.

각기 대강 검은 색이나, 붉은 색 따위의 포인트가 들어가 있고 흰 색의 장구들이었다. 무게 또한 그다지 무겁지 않았다. 부피에 비해서는 굉장히 가벼운 편이어서, 끼고만 있다면 부상에 대한 걱정은 많이 덜게 되는 보호구들이다. 착용자의 날렵함 역시 크게 해치지는 않는다.

송일우 역시 동일한 종류를 팔 다리, 머리에 끼고 있었다. 몸통의 갈비뼈 위를 덮는 갑옷은 빠져 있었다. 훈련된 전투원들의 공격은 김민서에게 심대한 위협을 주지만, 김민서의 공격력은 그들에게 그 정도까지는 줄 수 없었으므로.

송일우는 홍인수를 만나기 전까지는 자신이 세상에서 가장 센 줄 알고 까불던 인간이었다. 물론, 모든 세계를 떠돌아다니며 자신의 역량을 시험해본 것도 아니었지만. 자신이 놀던 물 안에서는 늘 압도적인 기량을 발휘하던 인간이었다.

타고난 운동신경이 있었고, 체격과 힘이 있었다. 어떤 운동을 배우든지 금세 익숙해졌다. 기본적인 타격기나, 유술기를 배웠을 뿐이다. 나머지는 끊임없는 운동과, 실전으로 익혀 왔다. 송일우는 많은 싸움을 해왔다. 단순하게 양아치들간의 주먹 다툼보다도, 조금 더 수준 있는 인간들과도 수 없이 겨뤄왔다.

윤민혁을 만나고 나서는 더욱 그러했다. 칼을 쓰는 법을 본격적으로 익혔고, 자신보다 훨씬 무장 상태가 좋은 이들을 상대로 달려드는 일들을 했다. 그의 손은 누구의 것보다 빨랐고, 점프를 섞어서 쓴다면 막을 수 있는 대상은 그렇게 많지 않았다. 설령 상대의 손에 총이 들려 있다고 하더라도, 송일우를 막기란 쉽지 않았다.

그러던 자신감이 홍인수의 앞에서 철저하게 깨지고 말았다. 그렇게 쪽도 쓰지 못한 것은 처음이었다. 나름대로 홍인수에게 상처를 입혔지만, 실상은 옷가지를 베었을 뿐이고 몸에는 생채기 하나 내지 못했다. 거의 동등한 조건이었지만, 크게 다치는 것보다도 깔끔하게 제압을 당했다. 그것이 송일우에게 충격이었다. 가지고 있는 모든 종류의 기술와 전략에 있어서 상대가 앞선다는 뜻이었다.

상당한 힘과 기술, 전투 의지를 갖고 있는 상대를 제압한다는 건 말이다.

이후로는 여차저차해서 조직에 들어오게 되었다. 실제로 들어온 것은 아니었지만, 여태까지의 삶에서 방향을 바꾸었다. 조직의 의뢰에 도움을 주고 백업 요원이 되기 위한 과정 정도를 겪고 있었다. 지금 김민서의 앞에서 대치하고 있는 이 순간도 그런 것의 일부였고.

그가 마음을 바꾸고 자신을 제압한 이들을 위해서 움직이게 된데는, 단순한 굴복의 의미도 있었지만 자발적인 구도의 의미도 있었다. 자신의 모든 것을 부딪혀도 이길 수 없는 상대에 대한 경의에 가깝다. 그의 단기적인 목표는, 홍인수와 대등하게 겨루는 것이다.

이전까지 그렇게 기술을 갈고 닦고 전투 훈련을 하는 편은 아니었다. 기본적인 체력의 유지와 실전에서 감각을 익히는 편이었지. 그러나 그것만으로 충분하지 않다고 생각이 들었다. 송일우는 조직의 심부름 등을 하고 있는 시간 외에는 개인적인 격투기 훈련 따위를 하고 있다. 칼이나 총화기 따위를 손에 익숙하게 하는 훈련도 하고 있었고.

그런 송일우에게 있어서 싸움이란 아주 익숙한 대상이다. 사춘기를 지날 무렵부터 자신에게 친근했던 친구나 같다. 반면 김민서는 싸움과는 아주 거리가 먼 인간이다. 그는 점프에 대한 능력도 없다. 그런 이에게 어떻게 기술을 걸고 다루어야 적당한 것일까. 송일우는 고민했다.

서로 마주 본 두 대련 상대. 사이에는 홍인수가 있었다. 그는 팔짱을 낀 채로 나지막하게 말했다.

"시작."

단조로운 말투에 김민서가 먼저 달려들었다. 그간의 훈련에서 배운 것들이었다. 어차피 소극적으로 나서봐야, 상황을 주도할 수 없었다. 적극적으로 얻어 맞게 될 뿐이다. 자신보다 기술과 경험이 나은 전문가와 싸울 때는 차라리 달려드는 것이 나았다. 조금이라도 각도를 줄이고 상대의 전략의 가짓수를 줄이는 게 상책이다. 그러는 편이 덜 맞는다. 몇 개의 기적이 섞인다면 맞출 수도 있을 것이고.

몸놀림은 가볍다. 그래도 한 두 달간, 꾸준하게 체력 단련을 해 온 탓이었다. 주중에는 여전히 연구소로 출근을 하듯 가서 JE에 대한 반응 실험을 계속한다. 김민서의 특이 체질을 지속적으로 발전하고 있었다.

그리고 남는 시간에도 조직의 사람들과 어울리게 되었다. 그러면 결국, 임무와 관련된 잔심부름을 하던가, 조직의 사무 따위를 배우게 되던가, 혹은 훈련을 추가적으로 하게 될 뿐이었다. 홍인수나 김만철과 있다면 결국 그들의 관심사는 비슷한 것이었다. 전투를 위해 사는 사람들처럼, 그들의 가장 큰 고려의 대상은 그런 부분이었다.

김민서는 그들에게 생존을 위해 굴림 받았다. 시종일관. 그들은 극악한 상황에 김민서가 떨어졌을 때 자력으로 살아남을 수 있도록, 가차 없이 굴렸다.

김민서는 의외로 밥만 제대로 잘 준다면 거친 일도 잘 견디는 성품이었던 모양이다. 그 자신도 잘 몰랐지만, 의외로 할 만은 했다. 물론 토할 것 같았지만 그렇게까지 괴로운 나날들은 아니었다. 오히려, 자취방에 목적도 없이 쓰러져서 시간을 허비할 때가 더 괴로웠지. 어떻게라도 뭔가 목표를 가지고 몸을 움직일 때는 나은 상황이었다.

김민서가 순식간에 거리를 좁히고 오른 손의 스트레이트로 송일우의 턱을 노린 데는, 그런 시간들이 녹아들어 있었다. 나름대로 제법 날렵했다. 자신이 직접 맞으면서 배운, 어떻게 쳐야 상대가 훅 가는가에 대한 정보가 든 라이트 스트레이트였다.

홍인수와 김만철은 원 없이 실컷 두들겨 팬 다음에 김민서가 악에 받칠 때쯤 공격법에 대한 팁들을 준다. 그러면 김민서는 없던

열의마저 생겨서 순식간에 그 팁들을 받아들이고 절대 까먹지 않게 된다.

휙, 하고 바람을 가르는 듯한 소리가 났다. 글러브 등의 보호 장구는 정말로 가볍다. 김민서의 체력을 그렇게까지 갉아먹는 종류가 아니었다.

푹신한 글러브. 소위 빵글러브라고 까지 하는 모습을 한 붉은색이다. 그 천이 송일우의 턱 근처까지 다가갔다. 송일우는 김민서의 첫 걸음에서 '초심자를 어떻게 대해야 하는가'에 대한 고민의 답을 내려버렸다. 그를 초심자로 대하지 않기로 한 것이다. 송일우는 슬쩍 몸을 뒤로 빼면서 앞차기를 날렸다.

움직임을 읽고 그대로 넘어지듯이 허리를 젖혔다. 송일우는 유연한 편이었다. 일반적으로 생각할 수 없을 만큼. 그대로 팔로 바닥을 짚으면서 오른 발끝이 다가오는 김민서의 복부를 찍었다.

쿵! 하는 소리가 났다. 추가 올라가듯 상체가 내려오고 들어 올려진 앞발차기는 상당히 강력했다. 자세가 불안정해 보였음에도 불구하고 제대로 된 자세에서 정식으로 찬 발차기나 비슷한 위력이난다. 발차기는 발끝으로 복부를 노렸으나 본능적으로 마지막에 상체를 웅크린 김민서에 의해 명치 부근을 맞았다.

더 심각한 부위였지만, 거기엔 몸통 갑옷이 있었다. 그 위를 때리자 직접적인 데미지는 덜했고 뒤로 훅 밀려났다. 상당한 힘이었다. 김민서는 속으로 우울한 생각을 했다. 한 대를 맞아보니 역시 사용할 수 있는 파워의 단위가 다른 것 같았다. 이게 정말로 성립이 되는 대련인가. 그러나 곧바로 그런 생각을 지워버렸다. 어쨌거나, 하고 있는 도중에 해봤자 도움이 되지 않는 발상이었다.

그냥 상대가 아주 둔하고 멍청하며 별 것도 없는 초보라고 생각하는 편이 좋았다. 사실이야 어쨌든, 자신의 움직임이 조금이라도 날카로워지지 않겠는가. 자신이 할 수 있는 최선을 다하면 될 뿐이다.

"으아아!"

헤드기어 때문에 눌려 있는 입이 비틀리며 기합이 나왔다. 민서는 굴하지 않고 소리를 질렀다. 그리고 다시 달려 들었다. 거리를 벌리고 타이밍을 상대한테 준다면 가망이 없었다. 조금이라도 호흡을 자신이 가져와야 했다.

***

2.여름 이야기

어떻게든 호흡을 가져와야 했다.

상대의 예측을 뛰어넘는다. 그 외의 수는 거의 가망이 없었다. 김민서는 턱을 당기고, 가드를 올리고 달려들었다. 밀려난 뒤에 회복이 금방이었다. 보호장구 덕분도 있었고, 그동안 훈련을 받은 종류가 거진 구타에 가까운 것이었어서 터프함이 는 것도 있었다.

적어도, 맞는 일에 대한 두려움은 극한으로 사라졌다. 칼이나 총이 등장하면 또 다른 일이 되겠지만.

송일우는 앞차기를 날리고 그대로 뒤로 덤블링을 했다. 몸을 접어 날려서 한 바퀴 돌아 일어섰다. 김민서와는 거리가 몇 걸음 자연스레 더 멀어진다. 가벼운 몸동작이라 시간이 많이 걸리지도 않았다. 불편한 자세에서 일어난다고 치면, 본인이 쿵푸에 일가견이 있는 무용가라는 전제 하에 해볼만한 방법이었다.

송일우는 그런 경력은 없었지만 비슷한 신체 능력은 갖고 있었다. 김민서가 달려들 거리가 더 늘어났다. 점퍼와의 싸움에 있어서 거리란 한없이 불리한 조건이다. 비슷한 순발력을 갖는다면 거리에 대한 이점은 결코 가질 수 없었다.

송일우는 점프를 사용하는 것 까지는 자제하고 있는 모양이었다. 단순하게 격투기를 배운 상대와 근접 전투를 하는 정도의 상황만 전제하고 있는 듯했다.

둘 다 글러브를 끼고 있어서 잡기 기술은 불가능했다. 물론 팔에 엮고 끼우는 따위의 응용은 가능했지만. 김민서는 달려들면서 거리가 참 멀다고 생각했다. 이 정도면 굳이 자신이 가야 하나. 라는 마음이 들었지만 금세 고쳤다. 자신이 가야 한다. 가만히 있는다고 카운터를 날릴 수 있을 정도의 노련함이나 반사신경이 자신한테 없었다.

일단, 날아차기를 해보았다. 상대의 근력이나 능력이 어느 정도인지는 알 수 없었지만, 몸을 던지는 성인 남성을 받아내기란 쉽지 않을 테였다. 아마 피하게 되겠지. 그리고 누가 먼저 자세를 회복하고 기회를 잡느냐의 싸움이었다. 민서는 나름대로 기민하게 움직였다.

한 두세 걸음 앞에서 몸을 던졌다. 발을 앞으로 쭉 뻗고 뛴다. 높이는 상대의 명치 부근. 맞으면 타격은 꽤 있을 테다. 민서는 그래도 운동신경이 나름대로 괜찮은 편이었던 모양이다. 어느 정도 훈련을 했다고, 이런 동작을 써볼 수 있을 정도이니 말이다.

송일우는 어이가 없다는 눈빛을 보였다. 민서에게는 잘 보이지 않았지만. 그는 느린 화면으로 보듯이 자세가 드러나는 동작들과, 변수나 속임수 없이 그대로 실행되는 움직임에 도리어 신선한 기분을 느꼈다. 자신에게 이런 식으로 덤벼드는 인간은 아주 오랜만이었다. 일정 수준이 지난 이후부터는 꽤나 노련한 싸움을 반복해온 탓이었다.

그는 자연스럽게 반 걸음을 옆으로 빼면서 몸을 돌렸다. 많이 움직일 필요도 없었다. 민서가 노리고 달려든 곳은 송일우의 시점에서 왼쪽 가슴 근처다. 나름대로 운동 신경이 있는 모양이지만 송일우는 머릿속에서 그를 요리할 방법을 서너가지 떠올린 뒤 고르느라 고생을 했다.

타다, 탁. 정도가 될 것이다. 농구를 할 때처럼, 정해진 춤을 출 때처럼 스텝을 밟고 뛰어올라 날으는 소리가 말이다. 송일우는 몸을 빼며 길게 뻗어진 상대의 오른발을 피했다. 그리고 한 걸음 더 뒤로 갔다가 김민서가 다가오는 방향으로 힘을 주어 움직였다.

왼팔로 타이밍을 맞추어 래리어트를 걸어 날렸다. 송일우의 움직임은 임팩트가 정확하고 빨랐다. 김민서가 추락할 때 즈음에 맞추어서 움직이는 목에 초점을 맞추고 온 몸을 돌리며 갈겼다.

쾅! 하는 소리가 났다. 팔과 몸이 부딪히는데 말이다. 그만큼 송일우가 파워풀한 체력의 소유자라는 이야기다. 돌렸던 몸을 그대로 원상복귀 시키며 앞으로 뻗어가듯 날렸다. 김민서는 공중에서 팔뚝에 걸려 넘어졌다.

그대로 중력의 방향대로 걸어 차인 사람처럼, 뒤통수가 꽂히며 내려왔다. 쿵! 하고 이어서 바닥에 떨어진다. 훈련실의 바닥은 소재가 좋았다. 김민서로서 아무리 고민을 해보아도 짐작할 수 없는 무언가였다. 이곳에서 대체 몇 번을 굴렀는지 알 수 없지만 아직 뼈가 아작나지도, 전치 몇 개월의 부상을 입지도 않은 걸 보면 분명 외부에서는 알려지지 않은 신기술의 집합체처럼 보였다.

그리고 그런 느긋한 생각을 할 겨를이 없이, 뒤통수를 박은 그대로 얼마간 뛰어 올랐다. 바닥은 반탄력이 좋아 세게 넘어지면 조금쯤 튀어 오른다. 송일우는 마치 자비가 없는 잔인한 격투가, 혹은 싸움꾼처럼 굴었다. 그대로 움직임이 멎은 김민서에게 다가가 발을 들이댔다.

온 힘으로 래리어트를 갈긴 뒤에 다음 공격을 하는 데까지 텀이 길지 않았다. 그는 타고난 운동 선수였고, 격투가였다.

그대로 태권도에서 화려한 찍기를 하듯이, 몸을 관성대로 조금 더 돌려 제 방향을 찾는다. 그리고 그 흐름을 잃지 않고 이번에는 오른 발을 위로 들어서 넘어진 김민서의 몸통 부위를 그대로 찍는다. 높이 들어 올려진 발바닥이 가차 없이 중력과 함께 꽂힌다.

김민서는 어질어질한 시야 속에서 송일우가 무언가 하는 걸 보았다. 뒤통수와 등으로 내려 앉았지만 보호구와 훈련실의 바닥 사이에서 충격은 크지 않았다. 다만 지나치게 빠른 속력으로 몸뚱아리가 굴러 다니고, 또 아예 데미지가 없는 건 아니라 눈이 돌고 있을 뿐이다. 충분한 시간이 주어지면 다시 싸울 수는 있는 상태였다.

그런 김민서에게 기회를 주지 않고 싸움을 끝내려는 듯 송일우가 군다. 오른 발이 명치를 찍었다. 쿵! 하고. 김민서가 공중에서 떨어질 때나 비슷한 소리가 났다. 최소한의 도의는 있는지 맨몸보다 장구를 낀 부위를 때렸다.

"크억."

김민서는 소리를 제대로 뱉지도 못했다. 너무 극심한 타격에 비명이 나오기보단, 그저 몸이 눌려서 헛숨이 뱉어졌다. 이 정도가 되면 보호 장구 너머로 어느 정도 충격이 뚫고 들어온다. 핀포인트로 찍은 탓이었다. 송일우는 발 뒤꿈치만을 사용해 그를 찍었다.

훈련실에 들어올 때는, 전용의 신발로 갈아 신고는 한다. 밑창이 물렁한 고무신 비슷한 것이었다.

송일우가 그대로 그 몸통 위에 발을 대고 있었다. 김민서는 더 이상 일어서지 못했다. 순간적으로 기세가 꺾이는 수준이었다. 사실 꺾이지는 않았지만. 더 이상 할 동작이 생각나지 않았다. 무엇을 하면 이길 수 있을까. 뒤엉켜서 난전으로 가면? 아마 백 번을 덤벼도 비슷한 결과가 나올 것이다.

"……."

김민서는 크게 헛숨을 뱉은 뒤에 자리에 가만히 있었다. 보호 장구는 효과가 아주 뛰어나다. 맨 몸이었다면 갈비뼈가 부러졌을 것이다. 최악을 상상해보자면 내장이 다쳤을 수도 있다.

그런 일은 전혀 없었다. 순간적으로 눌린 충격에 몸과 정신이 놀랐을 뿐이지. 그는 축 늘어진 오징어처럼 힘을 뺀 채 누웠다. 전의가 솟아나질 않았다. 송일우는 그 상태에서 고개를 돌렸다.

여전히 그들을 지켜보고 있는 홍인수를 향해서였다.

"…더 합니까?"

끄덕, 하고 홍인수가 고개를 위아래로 움직였다. 입을 꾹 다문 채였다. 훤칠한 키와 용모에 장난기를 보이곤 하는 사내. 홍인수는 웃음을 참는 건지, 진중한 건지 애매한 표정으로 낮게 말했다.

"이 정도는 아직 시작이지. 오늘은 시간이 많이 남았으니까….

딱 세 시 까지만 하지?"

지금 시간은 한국의 기준으로 오후 1시였다. 김민서 역시 그 말을 들었다. 그리고 순간 욕을 하려다가 간신히 가슴으로 눌렀다.

"어… 평소보다 조금 빡센 거 같은데요? 이거 송일우 씨한테 평소 우리가 어느 정도인지 좀 말해줘야 하는 거 아닙니까?"

홍인수와 김만철과 훈련을 할 때 역시 고강도였지만, 살기는 없었다. 어디까지나 훈련을 목적으로 한다는 느낌이 강했다. 둔하고 강한 충격이 반복되는 와중에 그런 것들을 느낄 정신도 없었지만, 적어도 손속에 망설임들은 두는 편이었다. 이번의 송일우처럼 실전에서 적을 상대하듯이 집요하게 찍어 누르지는 않는다.

어느 정도, 김민서가 따라 움직여야 훈련의 효율이 극대화되기에 그러하다.

송일우는 훈련과는 거리가 먼 사람이었다. 그는 20대 초반부터 여기저기를 쏘아 다니며 길거리에서 싸움을 하고 근 몇 년 동안은 온갖 범죄 조직의 싸움꾼들과 근거리에서 실전을 벌였던 인간이다. 아직 기세가 흉흉한 면이 있었다.

정확히 말하자면 실전 경험이야 홍인수나 조직의 인물들도 뒤지지는 않겠지만, 훈련으로서의 감각이나 경험은 송일우에게 부족했다.

그리고 그런 감각이 홍인수로서는, 김민서에게 알려주고 싶었던 느낌이었고 말이다.

"아니 지금 딱 좋은데요. 3시 까지. 못 움직이는 거 아니면 쉬는 시간 없습니다. 계속 반복이고, 스탠딩에서 시작."

홍인수의 말에 송일우는 제법 잘 따르는 편이었다. 그는 발을 치우고 바닥에서 어벙한 표정으로 있는 김민서에게 손을 내밀었다.

"어어…."

김민서가 마주 손을 뻗으려고 하자 더 다가와서 손을 쭉 뻗는다. 그는 그대로 김민서의 내민 손을 무시하고 그 멱살 부근을 잡았다. 정확히는 구명 조끼처럼 패드로 이루어진 몸통 갑옷의 목 근처 구멍을 잡고 일으켰다.

"쿠억."

민서는 훈린실에서 똑바로 말을 내뱉는 시간이 그리 많지 않았다. 헛숨을 들이키거나 눌린 목 사이로 신음이 튀어나오는 때가 훨씬 많았다.

송일우의 완력은 상당했다. 체급도 작은 편이 아니었고, 근질도 뛰어났다. 순간적인 폭발력, 사람들이 용력이라고 할만한 기세가 대단하다. 굵은 팔뚝으로 한 번에 일으키자 반강제로 민서가 들려 올라왔다. 본인이 넘어지기 싫다면 어느 정도 올라왔을 때 자세를 잡아야만 했다.

다시 일어난 그는 엉거주춤, 자세를 잡았다.

'양 측, 자리로.'

홍인수가 조용하게 손을 뻗으면서 중얼거렸다. 송일우는 알아 듣고 거리를 벌렸고, 김민서는 그 자리에서 약간 입을 벌린 채 팔을 내리고 있다. 하고 싶지 않았다. 하지만 하는게 좋겠지. 딱히 벗어 난다고 할 게 있는 것도 아니었고.

"준비, 시작."

여상스러운 말투와 함께 다시 격투가 시작되었다. 김민서는 이번에는 눈빛을 달리 했다. 자세를 낮추고 태클로 들어갔다. 이번에는 노골적이었다. 단숨에 끝내리라. 그는 급소를 노렸다.

송일우는 몇 초는, 김민서의 자세와 움직임에 여유를 보이다가 몇 걸음이 지나자, 그 기세에서 무언가 깨달은 듯 표정을 바꾸며 전력으로 움직였다. 그대로 달려드는 김민서의 면상을 오른 무릎으로 찍어버렸다.

쾅!

***

"고생이 많네."

김민서는, 김수정과 이야기하고 있었다.

"음… 어 그렇지."

그들은 커피숍이었다. 주말이 지나고, 평일. 대학가 근처. 사람들이 평범하게 지나다니는 시간대의, 거리의 커피숍이다. 그리 크지 않은 가게였다. 나쁘지 않은 맛의 커피를 팔고, 가격도 비싸지 않다.

커피숍이라면 으레 그래야 할 것 같은 우드 톤의 인테리어였다. 따뜻한 느낌을 주는 듯한 갈색이었고 내부는 한 스무 명 정도가 들어오면 한계일 것 같았다. 그들은 창가 근처의 테이블에 앉아서 커피를 마시고 있었다.

김민서는 에스프레소를 종종 마신다. 커피 맛은 알지 못하지만, 그냥 잠도 좀 깨고 쓴 걸 먹고 싶을 때 마실 뿐이었다. 지나치게 양이 많은 건 먹기 불편하기도 했고.

후릅, 쓥. 민서는 천천히 테이블에 놓여진 작은 잔을 들어 입가에 댔다. 쓰다. 취향은 아니었다. 말했듯이 누군가와 이야기를 해야 하고, 속이 더부룩할 때 골라서 마시곤 한다. 뭔가를 많이 속에 때려넣기 불편할 때.

카페인이 들어간다고 잠에 들지 못하는 체질도 아니었다.

카페의 내부는 실내등이 약간의 주황 빛을 띠면서 분위기를 만든다. 잔잔한 클래식 느낌의 경음악이 흘러나오고 있었고. 카운터에는 자주 보게 되는 주인장 아저씨가 다리를 꼬고 앉아 책을 읽고 있다.

손님은 둘 외에, 대학생 몇 명이 시험 공부를 하고 있는 게 전부였다. 누가 보아도 그들이 다녔고, 다니는 성현대학생이라는 걸 알 수 있었다. 대학교 점퍼를 입고 머리를 뒤로 묶고 공부하는 여학생과, 슬리퍼를 끌고 나와서 전공책을 파고 있는 남학생이었다.

김수정은 그런 주변을 둘러보다가 김민서를 보고 입을 열었다.

"요즘엔 그래서 운동만 하고 있는 거야?"
"음, 어 그거랑 아르바이트를 하나…."

그들이 학창 시절에도 자주 오고는 했던 카페였다. 둘 다 취향이 비슷한 편이라서, 우연하게 자주 다니는 곳이 겹쳤다.

김민서는 김수정에게, 자신의 신변에 대한 이야기를 대강 둘러대었다. 저번 일도 그렇고, '점퍼'라는 것에 대해서 상세하게 설명을 할 수는 없었으므로, 적당한 비유들로 말을 얼버무렸다.

어딘가에 있는 체육관 관장님이랑 우연히 친해져서 그 곳에 다니고 있다…. 주말마다 운동을 하는데 하드하게 굴려져서 몸이 조금 고달프다. 주중에는 체육관 관장님이랑 아는 분 일하는 데서 아르바이트를 조금 하고 있다. 짧게 짧게 일하며 규칙적으로 생활만 하고 있다.

수정은 주말마다 굴려져서 몸이 고되다, 라는 부분까지 듣고 한 말이었다. 고생이네, 라는 말은.

김민서는 눈빛을 흐리며 어딘가 먼 곳을 처다보았다.

"뭐 다 좋은 사람들인 거 같기는 해…."

김수정은 그런 민서의 표정에 살풋 웃었다. 답이 없는 친구였지만 유머 감각은 있는 편이었다. 정확히 말하자면, 스스로는 유머를 한 게 아닐 지도 모르겠지만 수정에게는 웃음기를 주는 행동들이었다. 그다지 고민을 하지 않는 것 같은 표정이나 행동거지가 그녀에게 위안이 되는 건지도 모른다. 수정은 모든 것들을 계획에 넣고 움직여야 했고, 그래서 늘 고달픈 면이 있었다.

최근은 그녀의 계획이 제대로 이루어지지 않아서 특별히 더 상실감이 있는 기간이었고 말이다. 국문학과는, 제대로 된 취업을 하기 어려웠다. 국어 선생님이라도 준비하지 않는 이상은 말이다.

"그 때 가랑이를 확실히 부숴버렸어야 했는데…."

민서가 사무친다는 듯이 중얼거렸다. 김수정은 아이스 아메리카노를 한 입 들이키다 뱉을 뻔 했다. 말이 거친 탓이었다. 보통은 누구라도 가랑이 사이를 부수면 병원 신세를 지게 될 것이다. 그리고 만일 대상이 남성이라면 더 사태가 보기 끔찍할 테였고.

"뭐, 누구 원수라도 졌어?"

수정의 물음에 민서가 에스프레소 잔을 내려놓으며 말한다. 민서의 표정은 한껏 찌푸려져 있었지만 어딘지 모르게 생기가 돌았다. 재미있는 짓을 하고 있는 것처럼 보이기도 했다. 활기가 있는 민서의 모습은 오랜 시간을 아는 동안 자주 보지 못하던 것이었다.

"아니…. 아무래도 그러지 않으면 내가 당할 것 같아서 그랬지."

체육관 관장님에게 매주 스파링 훈련을 당하고 있는데, 어느 지독한 관원에게 걸려서 고되다는 투로 설명을 했다. 민서는 그 이후로도 송일우와 종종 대련을 하게 되었다. 홍인수는 최대한 날카로운 감각을 그에게 주고 싶어 했다. 실전에서 그를 데리고 다니고 싶어 하는지도 모른다.

어떤 일이 일어나던, 자기 몸을 보호하고 기민하게 움직일 수 있는 처지가 된다면 전략적으로 민서의 가치가 훨씬 올라갈 것은 분명했다. 설령 후방에서 지원만 한다고 하더라도 말이다.

어느덧 5월 말이 지나 6월이 되었다. 민서의 기능 연구도 상당히 진척이 되었다. 그는 일정한 정신상태를 유지하는데 의외로, 정말 천재적인 재능이 있었는 지도 모른다.

애초에 그랬기에 홍인수를 불러들인 걸지도 모른다. 민서는 마지막 실험에서 집중 시간의 2분 30초를 기록했다. 마지막에 그가 점퍼의 이동을 왜곡시킨 건 50m정도였다. JE2의 역장이 어디까지 미치는가, 에 대해서는 조금 애매한 문제였다.

아마 그의 근방 수십 m를 기본값으로 하고 있었고, 추가적인 집중 상태의 누적으로 범위가 넓어지는 것으로 보였다. 민서의 주위에는 늘 ME가 발현될 역장이 있었고, 그의 일정한 상태의 변화에 따라서 JE2가 누적이 되어서 왜곡 효과가 발현이 되는 것이다.

늘 예산 계획이 항시적으로 잡혀 있고, 재정 상태가 풍족해지면 바로 진행되는 프로젝트랑 비슷한 것이었다. ME와 JE2의 관계는.

JE2와 민서의 멍 때리는 상태와의 상관 관계는 비례였지만, 그 그래프가 정확한 정비례는 아니었다. 가속도가 붙듯이 많은 수가 불어날 때가 있었고, 한동안 정체되는 구간들이 있었다. 특별한 법칙이 있는 것처럼 보이지는 않는다. 다만 초에서 분 단위로 넘어갔을 때 눈에 띄는 변화가 있었으니 예컨대 시간 단위가 될 때, 등 일정한 구간에서 계단식으로 변하지 않는가 짐작할 뿐이었다.

그리고 그런 상태를 자유롭게 컨트롤 할 수 있다면, 그리고 정해진 점퍼의 점프를 원하는 대로 왜곡시킬 수 있다면, 점퍼 간의 전투에서 거의 치트키와 마찬가지인 능력이었다. 홍인수는 그런 능력을 바라고 있었다. 민서가 있다면 그들의 작전 자체의 난이도가 대폭 내려갈 테였다.

아직까지 민서는 정신 상태를 일정하게 유도하는 것도 어려웠고, 더군다나 그것을 특정한 개체에게 영향력을 발휘하게끔 하는 건 더욱 감도 잡히지 않았지만 말이다. 지금 상태에서 실전으로 끌려가 그가 능력을 발휘한다면, 최선의 결과는 그런 보양일 테였다. 가까스로 멍을 때리다가, JE2가 발현이 되어 그 현장에서 점프를 한 모든 점퍼들의 도약을 왜곡시키는 것.

미리 방향성과 왜곡 정도를 짐작하던 조직의 점퍼들만이 유연하게 대처할 수 있을 테였다. 그리고 사실 그 정도만 하더라도, 소드마스터나 리시버의 경우에는 확실한 승기를 잡는 데 써먹을 자신들이 있었다.

타이밍만 가능한다면. 근접전에서의 점프를 자제하다가 상대가 왜곡으로 당황할 때 우위를 잡아채면 되는 것이었으니 말이다. 근접전에서 베테랑 점퍼들 간의 싸움은 아주 작은 오차로도 승패가

갈리는 것이었다. 윤민혁과 리시버의 전투에서처럼 말이다.

손을 대지 않고도 상대의 점프에 영향을 준다, 는 건 해당 범위 내에서는 점프 전용의 전략 무기와도 같았다, 이미.

그런 바람이 민서로서는 다소 고생스러운 일과로 변화가 되었다. 송일우와의 훈련이 민서 내면의 난폭성을 조금 자극했는 지도 모른다. 민서는 전 날 훈련에서 송일우의 남성적 급소를 망설임 없이 노렸고, 그대로 정면 발차기에 면상을 맞고 날아가 오후 훈련이 끝났다.

부상은 없었지만 일시적으로 강력한 충격이 헤드기어를 뚫고 들어와서, 잠시 기절을 했기 때문이었다. 송일우의 앞차기에, 본인이 전력으로 들어가던 태클이 겹쳐서 일어난 일이었다.

"아무튼 그러고 있어. 넌 어떤데?"

민서가 묻자 김수정은 슬쩍 고개를 돌리며 눈빛을 피했다. 애매한 표정이었다. 자신의 약점을 민서에게 알리는 걸 썩 좋아하지는 않았다, 수정은.

그리고 그녀에게 있어 현재 자신의 상황은 나약한 모습이었다. 그렇게 평소에 잔소리를 해대고, 똑바로 살라면서 잘난 척을 해대다가 이렇게 된 꼴이라니.

공들여서 준비했던 취업 면접에 전부 실패했다. 마치 짜기리도 한듯이 다들 사정이 있었다. 그녀의 조건이 그렇게 나쁜 것도 아니었는데. 심지어 꽤나 자신도 있었고.

어느 출판사, 어느 중소 기업, 전공을 조금 살릴 수 있어 보이는 컨텐츠 계열의 어느 대기업, 심지어 아는 사람의 추천으로 준비한 일자리도 갑자기 사정이 변했다면서 그녀에게 사죄의 말을 전했다.

모든 게 잘 풀리지 않았다. 당연히 잘 되기만 하리라고는 생각하지 않았지만 조금 심했다. 그녀는 온 세상이 자신을 미워하는게 아닌가, 하는 철없는 생각을 하기도 했다.

물론 정답은 아니었다. 그녀가 느끼기에, 세상은 그녀에게 그렇게 크게 관심이 없었다.

"…그냥 뭐. 졸업 학점은 마저 채워야지."

애매모호한 말이었다. 민서는 눈을 가늘게 뜨며 물었다.

"졸업 학섬은? 뭐 준비하고 있다며."
"뭐를."

김수정이 짐짓 모른 척을 했다. 민서가 그것을 따라가듯 묻는다.

"저번에 너 나한테 취업 하라고 그렇게 잔소리를 하지 않았냐. 자기는 준비 중이라면서."
"어어…."

저번에 만난 건, 고작 한 달 전의 일이었다. 사실은 그 때도 본인의 상황이 좋지 않았다. 오랜만에 만난 김에 신나서, 들떠서 친구를 갈구느라 그랬을 뿐이었다.

"잘 안됐구나. 그래, 그럴 수 있어, 수정아. 인생은 취업이 다가 아니지. 저번에 너는 나한테 그게 다라고 그랬지만. 인생은 기차처럼 탄탄대로가 아닐 수도 있는 거야. 저번에 네가 나한테 철로에서 떨어진 사고 피해자라고 했던 것 같지만."

민서는 기억력이 좋은 편이었다. 수정이 집요하게 해댔던 이야기들을 모조리 기억하고 있었다. 수정은 왜인지 낯이 뜨거워지는 기분이 들어 아메리카노만 홀짝 거렸다.

차고 쓰다. 속이 타들어 갈 때는 좋은 것 같았다.

"…."

민서는 눈을 흘겨 뜨며 그녀를 쳐다보고는 아무 말 않았다. 대신 남아 있는 에스프레소만 마저 마신다.

*

철로 위를 달리는 기차에서 떨어져 본 일이 있는가?

적어도, 최길우는 다신 하고 싶지 않은 경험이었다.

리시버라 불리는 최길우는, 오늘도 상당히 빡센 경험을 하고 있었다. 소드 마스터에게 가는 임무들 중에서 난이도가 높은 것들이, 최근 자신한테 조금 전가되는 경향이 있는 것 같다…는 생각이 들었다.

본인의 코드 네임인 리시버라는 이름 자체도 다양한 실책을 막아내는 수비자라는 의미였지만… 조직에게 주어지는 난관들 중 최근에는 다소 지나친 난이도가 자신에게 주어지는 것 같았다.

조직의 방침의 전환일지도 모른다. 근접 전투원이 평생 근접 전투원의 일을 할 수는 없었다. 어느 정도 연차가 쌓인다면 어떤 이들은 후방 직으로 빠지고 어떤 이들은 수뇌부로 올라가서 조직의 방향성을 결정한다.

리시버가 느끼기에도, 그의 선배인 홍인수는 수뇌부로 올라 갈 사람이었다. 지금은 현장직에서 누구보다도 빠르게 달리고 있었지만 '커맨더'의 자리에 오르기 위해서는 다양한 경험과 학습이 필요하다.

그런 방침의 일환으로, 소드 마스터가 조금 더 조직 내외의 다양한 분야에 얽힌 임무들에 지원을 가게 되고 자신에게 단순하고 빡센 현장직 임무가 주어지게 되는지 몰랐다.

그와 소드 마스터는 가는 길이 조금 다른지도 모른다.

보통 조직의 수뇌부는 커맨더, 코치, 스미스, 그 외 유동적인 인사 한 명이 더해져서 이루어진다. 스미스는 예로부터 조직의 점퍼들과 외부의 연구소, 기술 단체와의 협력을 조율하는 연구부장 같은 자리였고 코치는 내부 조직원들의 훈련과 제어, 인력 관리에 힘쓰는 자리였다.

커맨더는 조직의 전체 방향을 결정하고 어떤 의뢰를 맡을지, 어떤 의뢰를 먼저 해결할 지, 어떤 외부 정책을 펼칠지 따위를 정하고 나아가게 한다.

만일 소드 마스터와 그, 리시버가 같은 연배로 위로 올라가게 된다면 소드 마스터가 커맨더를 맡을 테였다. 그리고 그러면 아마 그가 코치를 맡게 되겠지. 단독 임무가 가능한 전투력 서열 1, 2순위가 커맨더와 코치를 맡는 건 조직의 전통과도 비슷한 것이었다.

조직에서 이어지는 코드 네임은 몇 가지가 있었다. 대를 이어가며 전통을 잇는 코드 네임도 있었고, 아닌 종류도 있었다.

커맨더, 코치, 스미스, 소드 마스터는 전통적인 코드 네임이었다. 정확히 소드 마스터는 근래에 와서 정해진 것이었지만. 이전에는 단순히 '마스터'정도로 불렸다.

조직이 가장 집중해야 하고 주력으로 삼는 외부의 무력 진압 임무에서 절대적인 역량을 발휘하는 1순위 멤버에게 붙는 칭호.

그것이 몇 대 전에 와서 소드 마스터가 되었고, 이것이 후대의 세대들에게 가끔 놀림감이 되고는 한다. 존경의 의미 반, 친애의 의미 반을 담아서.

이외에 전통적인 코드 네임은 '쉴더', '트래커', '무버'가 있었다.

차례대로 '쉴더'는 수비적인 점프 기술의 달인을 의미했다. 도약 재밍에 천부적인 센스를 갖고 있는 인물. '쉴더'의 자질은 한 가지였다. 손에 닿는 근거리에 상대가 도약을 해올 때, 점프의 전후로 발생하는 JE를 감지하고 상대의 도약을 막아내는 것.

일반적인 재밍과는 정반대의 방향이었다. 도약의 출발지에서 상대의 몸에 손을 얹고 재밍을 거는 것이 아니라, 도착지에서 미리 손을 대고 재밍을 거는 것이니. 상대는 일반적으로 도약을 시도했지만, 아무것도 없는 곳에서 자신이 재밍을 당한 것으로 느끼게 된다.

'쉴더'가 있다면 적대적인 점퍼가 킬러로 위협을 해올 때 요인의 경호에 절대적인 이점을 지니게 된다. 언제 어디에서, 다가올지 모르는 킬러라는 건 그야말로 농담같은 존재였으니 말이다.

보통 '쉴더'는 조직의 비상시에 커맨더의 곁에서 그를 보좌한다.

그 외에 점퍼에 대항해 요인을 경호하기 위해서는, 요인 스스로가 철갑으로 무장을 하거나 사람이 들어올 틈이 없도록 인의 장벽을 쳐놓는 것, 혹은 아무에게도 알려지지 않은 비밀 장소에 몸을 숨기는 것이었다.

혹은 계속해서 지극히 빠른 속도로 움직이는 초고속 비행기 따위에 몸을 싣고 있거나 말이다. 혹은, 우주 궤도를 떠도는 우주선 따위에 있거나.

고정된 위치 좌표로 이동을 하는 점프의 원리 상, 고속으로 움직이는 비행체 내부에 있다면 그곳에 침입하기가 극도로 어려워진다. 그것이 일반적인 점퍼들의 경우였다. 해당하는 묘기에 성공하기 위해선, '최길우'같은 특이한 경우에나 시도해볼 수 있었다.

그리고 이외에 '트래커'는 추적전의 달인이 갖는 칭호였다. 현재 조직에는 트래커가 없었으나, 소드 마스터인 홍인우나 리시버 최길우가 겸하고 있다고 볼 수 있었다. 아마 최길우가 개인 전투 능력이 그만큼 뛰어나지 않았다면 받았을 칭호였다.

트래커는 순식간에 JE의 분석을 마치고, 상대의 점프를 따라가는 능력이 필요했다. 대부분의 점퍼들이 추적을 위해 익히는 기술이었지만 트래커의 트래킹은 거의 텀이 없는 수준을 말했다.

상대나 남긴 잔여 JE에 접촉하자마자, 정확한 위치를 알아서 한 발자국 내로 동일하게 점프를 할 수 있는가. 추적 도약에 오차가 없는가. 혹은, 상대가 눈 앞에서 점프를 시도하려 할 때 그 과정을 읽고 상대를 좇아갈 수 있는가, 정도가 있었다.

홍인수는 모두 가능했고, 최길우는 상대가 점프하는 과정일 때 곧바로 추적 도약을 시작하는 건 연습이 필요했다.

그 외의 능력은 대개 동일했고, 오히려 최길우가 나은 편인 것도 있었다.

기본적으로 트래커의 경우에는, JE의 보유량이 넉넉해야 상대를 끝까지 추적할 수 있으므로 한계 도약 횟수가 높은 최길우가 트래커에 조금 더 가까웠다.

이어서 '무버'는 운송업자같은 종류였다. 점퍼들은 자신이 두 팔로 들 수 있는 만큼의 무게를 같이 들고 도약할 수 있었다. 입는다고 한다면, 자신의 몸에 밀착해야 하며 일체화된 부위가 피부를 기준으로 3cm이상 떨어져서는 안되었다.

JE의 기준이 되는 것은 '손'이었다. 두 손으로 들 수 있는 만큼. 일반적으로 손에 쥐고 중력을 거슬러 움직이고 있는 것들은 점프와 함께 이동이 된다.

그 말은 곧, 무버들은 타고난 힘이 좋은 자들이었다. 거구에 완력이 강한 자. 그들은 착용하는 것으로 무언가를 바꾸어도 훨씬 많은 양을 운송할 수 있었고, 두 손에 드는 것도 남들보다 월등한 무게를 견딜 수 있었으니.

두 손으로 드는 건 번쩍 들지 않아도 좋았다. 데드 리프트를 할 때처럼, 땅에서 떨어뜨려 놓기만 해도 충분하다. 이런 무버들을 잘 이용한다면, 톤 단위의 물자도 순식간에 옮길 수 있는 것이다.

이런 특색이 없이 보통 점퍼들이 물자를 운송한다면, 여러 명이 함께 물건을 드는 수 밖에 없었다. 각자가 한 손을 다른 이의 손에 얹고, 한 손으로 한꺼번에 물건을 든다. 그러면 도약은 '단체 도약'이 되고 그들이 감당하는 무게 역시 축적이 가능했다. 한 사람의 무버가 수백 키로그램의 물자를 옮기는데 반해, 단체 도약으로 운송을 한다면 수 명의 점퍼들이 도약 횟수를 소비해야 했다.

모든 코드 네임의 자리가 늘 조직에 채워져 있는 것은 아니었다. 비어 있을 때도 있다. 늘 채워져 있는 건 굳이 따지자면 '커맨더'와 '스미스' 정도. 둘은 조직의 핵심적 기술과 지휘를 담당하고 있는 중추라고 할 수 있었다.

최길우는 그런 이들 중에서 '리시버'를 맡고 있다. 오늘도, 이름에 걸맞게 지휘관이 날려 보낸 거친 스파이크를 수비하기 위해 난리를 치고 있었다.

그는, 시베리아의 횡단 열차의 한 량에서 떨어져 나와 날고 있었다. 어느 계곡을 지나는 사이에 벌어진 일이었다.

푸르른 강물과 초목이 인상진 어느 숲 속의 계곡이었다. 아래로는 까마득한 절벽이 있고 물이 흐른다. 그런 곳의 철로 길이 기차를 달리고 있었고, 리시버는 자유 낙하 중이다.

자유 낙하를 참 많이 하는 것 같다, 고 최길우는 느꼈다.

"우아아아아아아아!"

최길우는 소리를 잘 지르지 않는다. 원래부터 그랬는지 리시버로서의 역할을 하기 시작하면서 그랬는지 알 수는 없지만 담이 큰 편이었다. 아니, 도리어 한 바퀴 돌아서 심장이나 간담이 맛이 간 것 같기도 하다.

소리를 지르는 건 최길우와 함께 길을 나선 한 명의 예비 조직원이었다. 그 역시 그를 잘 알고 있었다. 어딘지 모르게 정이 가는 인간이었다. 김민서는, 말이다.

"으아아아아아아아아!"

입 안으로 거친 바람이 들어오고 있을 텐데도, 잘도 소리를 내지른다. 의외로 호흡이나 발성이 좋은 편인지도 모른다. 계곡에 울려 퍼지는 비명이 최길우의 귓가에도 선명하게 들린다.

리시버는 일단, 수십 미터 아래로 곤두박질 치는 상황에서 벗어나기로 했다.

재빠르게 주위의 광경이 사라진다. 아래로 떨어지는 와중에 절벽의 모습이나, 아래로 비치는 강물의 흐름 따위를 구경할 새는 없었다.

자유 낙하는 제법 속도가 빠르다. 아차하는 사이에 강물에 몸을 담그거나, 잘못 떨어지면 그대로 생각할 머리가 사라질 수도 있었다.

후욱, 하고 리시버는 허공에서 사라졌다. 재빠른 위치 데이터의 변환과 계산은 그의 특기였다. 그가 컴퓨터처럼 빠른 머리를 갖고 있는 건 아니었다. 감각적인 것에 가까웠다. 눈으로 보는 것, 인식하는 거리감이 점퍼들의 머리속에서 자동적으로 변환이 되고 계산이 된다.

말하자면, 점퍼들이 사용하는 '점프'에 속한 기본적인 내장 계산기가 있는 셈이었다. 그 프로그램, 기계를 더 잘 다루는 사람도 있었고, 어떤 이들은 거기에 어떤 기능이 있는지조차 모르는 경우도 있었다.

리시버는 계산 프로그램의 전문가였다. 누구보다 능숙하게 다루고, 다른 이들이 계산하지 못하는 수치까지도 응용력을 발휘해서 답을 내놓는다.

리시버는 허공에서 사라졌다가, 아래로 떨어지는 민서의 바로 옆에서 나타난다.

"우아아아아아아악!"

김민서는 고약한 비명을 계속해서 지르고 있었다. 어쨌거나 죽음이라는 건 두려운 일이었다. 고통 또한 피하고 싶은 일이었고. 그는 패닉에 빠지고 정신을 잃지 않은 것만으로 칭찬을 들어야 할지도 모른다. 어쨌거나, 첫 임무, 첫 실전이라 할 만한 것이었으니 말이다.

여름에도 시베리아 지방의 추위는 살을 에는 것이었다. 그들은 나름대로 두툼한 내복을 껴입고 경량 패딩을 걸친 상태이다. 이런저런 방한 도구들로 대책을 세웠지만 이런 계곡 속 자유낙하의 칼바람은 다 막지 못했다.

보통 이런 상황의 칼바람을 막기 위해서 옷을 입는 인간 따위는 없기도 했다.

콱, 하고 리시버가 민서의 팔을 끌어안았다. 그리고 동시에 이미 발동 중이던 점프가 실현 된다.
후욱, 하는 기묘한 소리와 함께 그들의 모습이 허공에서 사라졌다.

"저 새끼들 사라졌어!(Эти ублюдки ушли!)"

그런 그들을 바라보는 시선이 있었다. 열차는 계곡을 지나간다. 러시아의 어느 숲속, 계곡 위를 지나는 열차는 제법 먼 거리를 아슬아슬한 철로를 의지해서 달렸다.

그런 기차의 내부에 있는 인원들이었다. 사나운 표정으로 외치는 백인들. 주로 러시아인들이었다. 터프하게 생긴 남정네들이 지저분한 몰골에, 각자 총 따위를 꼬나 쥐고 있었다. 열차의 차창 너머로 작아지며 사라지던 리시버와 김민서를 관찰하고 있던 것이었다.

총을 몇 번 갈길까도 했었지만, 그들의 사격 실력이 썩 좋지는 않았다. 아마 정조준을 하고 겨눈다고 해도 맞추지 못할 확률이 높았다. 꽤나 거리가 멀리 있어 표적이 작았고, 더군다나 빠르게 움직이기까지 한다. 쓸 데 없이 총알만 낭비할 확률이 높았다.

러시아인들은 장정으로 무리를 이루고 있다. 한 칸을 전부 점령한 듯이 보이는 인물들이다. 덥수룩한 수염, 거구의 체격. 각자 통일성이 없는 옷가지 따위를 걸쳐 입은 차림새. 하나같이 청결하고는 거리가 다소 먼 인물들이었다. 마치 보기에 산적처럼 보이는 생김새였고, 실제로 그러했다.

그들의 정체 역시 결국 산적과 비슷한 것이었다. 시베리아 지역에서 활동하며 횡단 열차를 타는 이들을 털어먹는 조직범죄 집단이었다. 드넓은 러시아 땅의 한적한 곳에 숨어서 기거하다가 국가적 무력의 손을 피해 범죄를 저지르고 다시 숨어버리는 작당들. 해외까지 이어진 거대한 범죄 조직의 말단이라고 한다.

어쨌건 해외는 해외였고, 일반적인 사람들이 가장 고통을 받는 것은 결국 실행조로서 열차를 털어먹는 이 집단들 때문이었다. '조직'은 이들의 처리를 위해서 전투가 가능한 점퍼 요원을 파견했다. 거기에 김민서가 따라온 것은 덤이다.

러시아인 강도들은 열차의 한 량을 점령하고 있다. 개중에서 리더로 보이는 이가 입을 열었다. 우락부락하고, 붉게 충혈된 눈을 하고 있다. 옆으로도 위로도 큰 체구에 도끼라도 다루면 잘 어울릴 법한 생김새였다. 그가 낮고 굵은 목소리로 지껄였다.

"괴상한 미친놈들은 신경 끄자. 우리는 우리가 해야 할 일만 하고 사라지면 그만이야. 다들 준비는 됐나?"
"예, 대장!"

그들은 계획적으로 범죄를 저지르는 편이다. 상세하지는 않지만 조직도가 있었고, 리더가 있었다. 정해진 타이밍을 노려서, 치안 병력의 빈틈을 타서 범행을 한다.

현재 이 지방은 근처에는 도시랄만한 것도 없었고, 자연림 뿐이었다. 그런 산적 조직을 찾기 위해서 러시아의 군대나 치안 병력이 찾아 들어오기에는 좀 시간이 걸리는 지방이었다. 더군다나 그들은 평범한 범죄 조직도 아니다. 일반적인 무력으로는 제어가 불가능한 수준의, 특별한 능력 또한 보유하고 있었다.

정확히는 범죄 조직의 한 구성원의 능력이다.

그들은 그 한명의 능력에 의지해서 수많은 추적과 지명 수배 따위를 피하고, 다양한 위치로 재빠르게 움직이는 기동성을 보이며 러시아 국내에서 수많은 약탈을 자행하고 있는 것이었다. 몇 차례 반복되지만 아주 대놓고 자주 벌이는 짓거리는 아니었고, 그저 평범한 열차 사고를 가장해서 벌이기도 했다.

어느 정도 텀을 두고 일을 저지르기도 했고. 그들로서도 본격적인 군대의 견제를 받으면 살아날 가능성이 한없이 줄어들기에 말이다.

어쨌거나 이번 시간대의 그들의 목표는, 열차가 다음 정거장에
서기 전까지 모든 량을 점거하고 열차를 멈춰세운뒤, 열차 내에 존
재하는 모든 금품을 갈취하는 것이었다. 지금 작전에 돌입한 이들
은 장정들로 20명 남짓. 모두가 총화기로 무장했고 힘이 센 거한
들이었다.

여기에 일정한 톤으로 명령을 내리고 통제력을 발휘하는 리더십
이 있다면 그들의 계획 범죄는 아주 쉬운 난이도가 된다.

그러고 나서 도망치는 것이 이제 아주 어려운 일이었지만, 이
자리에 있는 모든 이들을 처리하고 돈을 빼앗고, 미련없이 달아나
면 그들을 잡는 건 아주 어려운 일이었다. 곧바로 무선 연락으로
누군가 구조를 요청한다고 해도, 먼 곳에서 이곳까지 오는 최소한
의 이동 시간이 있었다.

그들을 잡기 위해 러시아 본대의 공군이 동원 되어서 최고속으
로 오고, 그 사이에 그들이 탈취를 마무리짓지 못한다면 잡힐 수야
있겠지만… 그 점 정도가 그들이 범죄의 빈도를 조절하는 가장 큰
이유였다.

그것을 제외하면, 외딴 대륙의 한 구석에 바퀴 달린 것으로 오
기까지의 시간으로는 그들을 결코 잡지 못한다. 그들에게는 비장의
수가 있었기에.

"칼슨이 오른쪽, 라미노프가 왼쪽으로 움직인다. 둘이 위협, 넷이
인원 통제, 넷이 금품 보자기에 담고. 알지? 어서 움직여."

"예 보스."

리더의 왼쪽에 있던 라미노프가 답했다. 키가 190cm정도 되는 거한이었다. 목이 두껍고 전체적으로 굵은 체격이다. 적당히 입혀 놓고 시합장에 내놓으면 레슬러라고 해도 믿을 법한 인간이었다.

칼슨은 붉은 기가 도는 갈색 머리에, 체구가 조금 작은 남자였다. 그는 눈매가 날카롭고 잘 손질 된 샷건을 들고 있다. 총병기를 다루는 재주가 있을 것 같아 보이는 인간이었다.

무리들은 열 명 정도로 모여 양 방향으로 흩어졌다. 리더의 말 대로 칼슨과 라미노프를 중심으로 해서 빠르게 움직인다. 이 숲이 끝나기 전까지 순식간에 그들은 사람들을 제압하고, 기관사를 인질로 삼아 멈추게 할 것이었다. 열 명의 장정이 모두 총을 들고 있다면, 그리고 그것을 사용하는데 망설임이 없다면 길다란 열차 내의 인원들을 통제하는 것도 무리는 아니었다.

그 과정에서 다소의 폭력이 들어갈 수는 있었다.

리더는 라미노프를 따라갔다. 칼슨은 여차하는 순간에도 알아서 잘 할만큼, 머리가 잘 돌아가는 자였다. 반면 라미노프는 임기응변에 모자란 구석이 있었다. 열차의 기관실이 진행 방향의 앞 쪽, 왼쪽 끝에 있다는 것도 이유였다. 서둘러 움직이고 일을 마쳐야 했다.

열차를 멈추고, 정확한 위치 좌표를 찍어서 범죄 조직의 대장에게 보내주어야 한다.

"가자!"

라미노프가 외치며 나아갔다. 칼슨은 별 말 없이 샷건을 들고 성큼성큼 걸어, 열차의 객실을 구분하는 문을 벌컥 열었다.

쾅! 샷건이 머리 위로 쏘아지며 칼슨이 외치는 소리가 멀리 들린다.

"전부 손 들어!"

*

리시버와 김민서는 어떤 숲 속의 지면 위에 안착했다.

철푸덕, 이라고 쓸 수 있을 것이다. 글자로 쓴다면 말이다. 민서는 엉망 진창의 자세에서, 그대로 지면 조금 위에 나타나서 뺨으로 흙바다과 거친 해후를 나누었다.

"펍."

김민서는 입 안으로 들어오는 흙모래 따위를 뱉어냈다. 시베리아 동토의 얼어붙은 흙은 맛이 썩 좋지는 않았다. 차갑고 딱딱한 지면은 그를 거칠게 밀어냈다. 정확히 말하자면, 가만히 있는 땅에 그가 지나치게 다가간 것 뿐이다.

김민서가 정신을 차리고 있지 못할 때, 최길우는 멀쩡하게 자리에 서 있었다. 정확히 말하자면 둘 다 비슷한 자세로 나타나기는 했다.

최길우는 자신이 스스로를 이동시킨 자세를 짐작하고 있었기에 여유롭게 선 채로 안착을 했고, 김민서는 경황이 없는 때에 이동을 했기에 허우적 거리다가 다시 한 번 넘어진 것이다.

리시버는 굳이 잡아 주지는 않았다. 이동해 온 시점에서 잡았던 팔을 가볍게 놓았다.

"흙, 맛있습니까?"

리시버의 말에 김민서는 흙바닥을 밀어내며 간신히 일어서고 이이기했다.

"궁금하시면 좀 드려 봅니까?"

오른 손에 얼어붙은 흙의 부스러기가 뭉쳐져서 잡혔다. 최길우는 그 모습에 고개를 저었다. "넘어가죠."

최길우나 김민서 모두 가죽옷을 입은 채였다. 안감이 잘 들어가 있는 고급품이라 방한 기능이 탁월하다. 손에는 역시 가죽 장갑을 끼고 있었고.

검은색이나, 갈색으로 전체적으로 톤을 맞춘 차림새였다. 신발은 산악이나 트래킹용에 적합해 보이는 종류다.

머리에는 둘 다 비니 모자를 쓰고 있었다. 귀까지 내리면 머리

부위의 추위 대책도 완벽해지는 만능 모자다.

최길우는 팔짱을 끼고, 그들이 자리한 숲을 바라보았다. 툰드라 지방의 침엽수림이었다. 햇빛이 잘 들지 않고 사위는 어두운 편이다. 그늘지고 추운 자리에 그들은 있었다.

"다시 가죠."

최길우가 잠시 틈을 두더니 김민서에게 말했다. '에?' 김민서가 제대로 대답을 하기도 전에, 그가 김민서에게 다가갔다. 김민서는 황급히 뒷걸음질을 치며 일어섰다.

"성격이 왜 이리 급합니까. 준비도 좀 하자고요."
"뭐 시간이 많지는 않습니다. 일단 총을 피해서 한 번 뛰긴 했지만 다른 승객들을 생각하면 한 시도 낭비할 수는 없죠."

최길우의 말도 일리는 있었다.

그들은 점퍼 조직에서 내려온 의뢰를 위해 움직이는 중이었다. 러시아 정부 관계자나, 다른 해외 기구에서 의견을 모아 그들에게 당부한 의뢰였다. 해외 기구의 경우에는, 러시아의 열차 내에서 금품을 갈취당하고 고통받는 외국인들의 모국들이 포함된 기구들이었다.

국제적인 경찰 기구에서도 그들에게 연락을 해왔다. 최근에 지나치게 활개를 치기 시작한 그들을 잡는 일은 다소 어려워 보였다. 그들 개개인은 그렇게 강력한 존재들이 아니었지만, 움직임이 지나치게 신출귀몰 하다는 정보였다.

알리바이, 트릭, 상식적인 범행 수단이 결여된 완전 범죄의 경우 '점퍼' 조직이 생각하는 한 가지 결론이 늘 있었다. 현실적으로 중간에 정보의 왜곡이나 누락이 있었거나, 혹은 완벽한 상황 조건이 전달이 되었음에도 불가능한 일이 현실에 벌어졌다면 그건 점퍼가 개입되었을 확률이 있었다.

점퍼의 능력을 대입해 보았을 때, 가능한 일이라면 더욱 더 확실시 된다. 이번 경우에도 그러했다.

러시아가 아무리 국토가 넓고, 한국처럼 치안이 좋고, 공권력과 행정력 따위가 전국에 촘촘하게 퍼져 있는 나라가 아니라고는 하지만 이처럼 대단위의 범죄를 저지르는 조직이 공공연하게 살아있는 건 무리가 있었다. 국영 사업을 방해하고 나라의 이미지 형성에 지대한 악영향을 끼치는 범죄자 무리가 있다면, 그야말로 군대라도 동원이 되어서 잡아낼 것이었다.

그런데도 불구하고 이들이 비정기적으로 일을 벌이고 있다지만 아직까지 살아있는 이유는, 현실적인 수단으로는 잡아낼 수 없는 그들만의 특별함이 있기 때문일 확률이 높았다.

이런 범죄자 무리를 잡기 위해서 공군 전력을 사용하는 것 보다는, 러시아 정부의 관계자와 국민들의 안전을 위하는 해외 여러 국가의 관계자들이 '점퍼 조직'에 먼저 문의를 한 것이었다.

그리고 점퍼 조직은 이들의 행태를 살펴 보았고, 개중에 '점퍼'가 끼어 있다면 나름대로 말이 되지 않는가, 하는 결론을 내리게 된다.

그것이 최길우와 김민서가 이 자리까지 오게 된 이유였다.

"잠깐만요. 적어도 일어나서, 마음의 준비랑 자세를 취할 정도는 주셔야죠."

김민서가 말하며 자세를 고쳐 잡았다. 한 손은 턱에, 한 손은 슬쩍 앞으로 뻗는 복싱의 기본 자세였다. 최길우는 그 모습을 다소 한심하게 쳐다보았다.

"총 들고 난리 피우는데 뭐합니까. 방탄구나 뒤집어 쓰고 구석에 숨어 있을 생각이나 해요."

그렇게 말하며 최길우 역시 가죽 옷의 안에서 무언가를 꺼내 들었다. 전투용의 방탄모, 비슷한 것이다. 방탄모라고 하기에는 가볍고, 재질도 부드러우며, 질긴 천 같은 질감의 무엇이었지만. 강력한 복합 소재가 들어있는 물건으로 총에 뚫리지 않는다. 외부의 충격으로부터 두개골과 뇌를 보호해주기도 하고, 나름대로 총알을 미끄러뜨리는 역할도 하게 된다.

겉보기에는, 단순한 캡처럼 생겼다. 녹색빛깔의, 마치 플라스틱 투구처럼 생긴 외형이다. 그것을 비니 모자를 벗고 머리에 뒤집어 쓴 다음에, 다시 그 위에 비니를 걸치는 것이다. 최소한의 생존을 위한 방편들이었다. 점퍼들은 늘 가볍고, 몸에 달라붙는, 방탄구들이 많이 필요하다. 그들이 뛰어다니는 전장은 늘 가장 험악하고 위험한 곳이었고, 그들이 몸에 걸칠 수 있는 도구들은 그 부피가 크지 않았다.

최첨단의 기술력의 대부분은 이런 방탄 도구들이나 가벼운 무기들 따위를 만드는데 사용된다.

최길우의 말에 김민서도 자신의 머리를 더듬었다. 그는 이미 방탄구를 끼고 있었다. 기지에서 출발할 때부터. 그는 겁이 많은 성격이었고, 자신이 점프를 할 수 있는 것도 아니고, 약간의 드잡이질 같은 훈련을 해왔다지만 일반인이나 다름없는 인간이라는 걸 잘 인지하고 있었다.

김민서는 침착하게, 최대한 침착하게 자신의 호흡을 가다듬었다. 지금부터 아까 열차 밖으로 떨어져 내려왔던, 그 총 든 강도들이 득실거리는 전장으로 간다고 생각하니 쉽게 긴장이 사라지지 않았다.

현실감에 조금 둔하고, 감정이나 감각을 뒤늦게 느끼는 편의 김민서였지만 본능적인 트라우마나, 몸에서부터 드러나는 반응들은 어쩔 수 없었다. 아무리 자신을 속이고 침착하게 있으려고 해도, 손부터 조금 떨려 왔다.

최길우는 시원스럽게 웃었다.

"죽기야 하겠습니까."
"보통 그런 말 다음에 제일 많이 죽지 않습니까?"
"그건 보통이고. 난 보통은 아닙니다."
"쯥…."

김민서는 자신도 모르게 혀를 차며 고개를 저었다. 보통 뛰어난 인간들은 자기 입으로 저렇게 지껄이진 않는다. 간혹, 자기 입으로 지껄이는 괴짜들 중에 진짜가 섞여있긴 하지만.

최길우가 말했다.

"어쨌든 임무는 임무입니다. 조직에서 파악한 바로는, 아마 한 명의 점퍼 정도가 적들 조직에 있는 것 같습니다. 여러 명이라면 보다 더 빠르게 도주하고 사라지고, 신출귀몰 했을텐데. 강도단이 움직이는 건 어느 정도 한계가 있고 반드시 그 사이에 텀이 있습니다. JE가 그리 많지 않은 평균적인 수준의 점퍼 하나, 정도가 강도단을 돕고 있는 것처럼 보입니다."

1명의 점퍼가 하루에 사용할 수 있는 도약의 한계는 보통 100에서 200회 정도였다. 100회가 최하치, 냐고 묻는다면 그렇진 않다. 도리어 많은 수의 점퍼들이 100이나 100근처의 한계 횟수를 지닌다. 150을 넘어가면 그는 평균보다 훨씬 높은 수의 도약 한계를 지닌 점퍼이다.

그렇기에 200을 넘은 홍인수나, 그조차 넘은 리시버가 특별한 경우로 취급되는 것이다. 보통 200이 넘는 점퍼들은 동시대에 한 명이 있을까 말까한 경우다. JE가 낮은 편일 때는 100회도 채우지 못하는 경우가 많았다.

보통 점퍼 조직들이 상대하는 범죄를 저지르는 이들의 경우는, 평균적으로 JE의 보유량이 높은 편이었다. 그래서 그들이 상정하는 적대적인 점퍼의 스펙 역시 100-200 사이를 예상하고 대응한다.

자신의 능력이 어느정도 깜냥이 되고 능력이 있을 때에, 범죄같은 대담한 짓거리를 저지르기에 그러하다.

"한 명의 점퍼가 수십 명의 인원들을 데리고 이동한다면… 적어도 그 딜레이가 수십 초는 있을 겁니다. 한 번의 도약에 한 호흡은 걸릴 수 있을 테니 말입니다. 그리고 그 인원들이 정해진 장소에 멈춘 채로 있는 시간도 그만큼 길어야 할 테고요. 20명의 인원들을 정해진 먼 곳에 데려다 놓는다면, 양손을 써서 두 명씩 편도로 열 번. 도착지에서 이동지까지 왕복하기 위해서 열 아홉 번…. 하루에 다섯 번 이상 거점을 옮기지 못합니다. 대단위의 조직을 데리고 완벽하게 군대를 피할 수 있는 수준의 능력은 아니죠."

최길우가 브리핑을 하듯이 미리 듣고 온 내용을 민서에게 한번 더 설명했다. 민서가 고개를 끄덕거렸다.

"예. 그래서 상대가 점퍼를 가지고 있는 것치고는 소극적으로 움직인다고."
"맞습니다. 부정기적이고, 범죄 행각 사이의 텀이 깁니다. 그들이 갈취하는 금품도 여행객들의 것들이고 사람을 죽이지는 않습니다. 열차나 철로를 손상시키지도 않고요. 본인들이 감당할 수 있는 만큼만 저지르고 있습니다. 그리고 그 사이에 우리 조직이 고용이 된 것이고…."

김민서가 고개를 끄덕인다.

"뭐 시간이 넉넉하지는 않습니다. 아까 그 때로부터 고작해야 몇 분, 정도면 대강 상황이 진척이 될 것이고… 다시 얼마가 지나면 도주가 시작하겠죠. 우리한테 남은 시간도 그리 길지 않습니다. 바로 돌입합니다. 준비 됐습니까?"

리시버, 최길우가 길게 김민서에게 쓸 데 없는 이야기들을 늘어놓은 건 그가 긴장을 풀게 하기 위해서였다.

최길우의 말에 고개를 끄덕이며 자연스레 따라가던 김민서가 마지막 말에 고개를 저었다.

"어, 아뇨 조금만 더…."
"시끄럽습니다."

최길우가 달려들었다. 김민서는 피하고 싶었지만, 최길우의 동작은 레슬러의 태클만큼이나 빠르고 강력했다. 그는 별다른 저항도 하지 못한채 붙잡혔다.

"커억."

결국 그렇게 강렬한 충격을 받은 직후로, 두 사람의 신형이 사라졌다. 후욱, 하고.

햇빛이 잘 들지 않는 숲속의 어느 자리에 그들의 발자국이나, 머물렀던 흔적만이 남아 있었다.

*

러시아는 여름에도 추웠다.

눈이 오는 날씨는 아니었으나, 확실히 한국의 여름에 비할 것은 아니었다. 그들이 타고 있는 열차가 지나다니는 곳이 북부 쪽인 건지도 모르겠다.

　김민서는 쌩쌩 달리는 열차의 칸과 칸 사이를 잇는, 외부 자리에 끼어 있었다.

　'후우.'

　속으로 깊은 한숨을 내쉴 처지가 된다면, 지극히 다행인 편이었다. 그는 조금 전까지 객실에서 터지는 폭음과 총알 속에서 혼비백산을 하느라 정신을 제대로 차리지 못했었다.

　바람이 찹다.

　고속으로 달리고 있는 열차에서 바람을 그대로 받아들일 수 있는 자리에 있으니 더 그렇다. 붙잡을 것이라고는 열차 정비에 쓰이는 철제 사다리 정도였다. 민서는 벽에 꼭 붙어서 철제 바를 끌어안고서 가만히 있었다.

　총알의 위협은 피했지만 달리는 열차의 위협은 그대로 있었다. 칼바람이 볼을 스친다. 끌어안은 쇠막대기의 온도도 차갑다. 이대로 힘이 풀리거나 중심을 잃어서 다른 곳으로 간다면 그대로 이승과는 작별을 해야 할 것 같은 신세다. 천운이 몇 번이나 겹쳐서 따르지 않는 한, 물리적인 시점으로 봤을 때는 죽음이라고 봐야 한다.

　탕, 타탕, 쾅!

총성인지, 폭음인지 알 수 없는 소리들이 열차 내부에서 들린다. 민서가 있는 쪽으로 총알이 열차의 벽면을 뚫고 나오지 않기를 간절히 바랄 뿐이다. 보통 창문 정도는 깨트리는 것도 같다.

총성이 나는 객실 내부에 승객들은 없었다.

리시버는 탁월한 점퍼였다. 그는 조직에서 가장 정밀한 점프를 사용 가능한 인원 중 하나였고, 심지어 고속으로 달리고 있는 열차 내로의 점프 역시 가능했다. 그는 단체 도약을 이용해서 단 두번의 점프만으로 열차 안에 진입했다.

대강의 선로를 그려보며 열차가 지날 것 같은 곳의 상공으로 한 번 움직였는데, 그 계산이 얼추 또 정확해서 기차의 근처 허공에 나타났다.

민서가 기함을 토하며 놀래기도 전에, 리시버가 한 번 더 점프를 해냈다. 허공에서 사라진 그들은 이번엔 열차의 객실들 사이, 외부에 노출된 자리에 나타났다.

리시버는 익숙한듯 그 열차의 문을 밖에서 따내며 안으로 들어갔다. 내부의 승객들이 놀랐지만, 리시버는 그들보다 훨씬 더 놀라게 할만한 이들이 다가오고 있다는 걸 알았기에 침착하게 움직였다. 허리춤에서 권총 하나를 꺼내들었다.

탕! 첫발은 공포탄이었다. 머리 위로 들고 공포탄을 쏘아낸 그가 얼어붙은 승객들에게 선제적으로 말했다.

최대한 침착하고 부드러운 목소리로. 이미 공포탄의 폭음이 객실 내부를 잠식한 상황에서 쓸모가 있는 요령인지는 모르겠지만, 리시버는 시종일관 흥분하지 않았다.

"아, 아! 여러분! 저는 러시아 경찰 당국의 의뢰를 받아온 국제 경찰 기구 소속의 경찰입니다. 여행 중에 미안합니다. 이 열차는 이미 무장 강도 무리들에게 점령당했습니다. 지금 앞쪽에서 총을 든 강도단이 달려오고 있으니, 귀중한 소지품만 챙겨서 빨리 뒷 칸으로 대피하시기 바랍니다."

리시버는 빠르고, 크게 말을 내뱉으면서 동시에 남은 손으로 안주머니에서 경찰 수첩같은 것을 펼쳐서 시민들에게 보여주었다. 자기들이 앉은 자리에서 그것이 제대로 보이는 자는 많지 않았을 것 같았으나, 아무것도 없는 것보다는 훨씬 유효한 수작이었다.

"아아악!"

톤이 높은 여성 하나가 비명을 질렀다. 뒤늦게 공포탄에 반응했나 보다. 리시버는 여전히 침착한 행동거지로 말했다. 그는 여태까지는 영어로 말하고 있었다.

"침착하십시오, 경찰입니다! 강도 수사 중이니 뒷칸으로 대피하시기 바랍니다!(Спокойно, полиция! Ограбление расследуется, поэтому, пожалуйста, эвакуируйтесь в задний отсек!)"

그제서야 사람들이 슬금슬금 기어 나왔다. 시베리아 횡단 열차에는 본국의 러시아인이나, 외국인들이 섞여 있었다. 다양한 인종들이 급수가 낮은 칸의 허름한 침대에 몸을 누이고 있거나, 의자에 앉아 있다가 통로 쪽으로 고개를 빼꼼히 들어 상황을 살폈다.

리시버가 반복해서 의사를 전달하자 그들이 서둘러 움직였다. 리시버가 소리를 쳤다.

"협조 바랍니다! 여기에 남아 있다가 빗나간 총알에 맞으셔도 책임 못집니다!"

무서운 소리를 하고 있자 사람들이 일단 움직인다. 그가 들고 있는 권총 역시 주효했다. 의외로 그들은 집단적인 패닉에 빠지지는 않았다. 담이 센 시민들이었다.

김민서는 그 한발짝 뒤에서, 상황을 지켜보고 있었다. 사람들이 우루루 뒤쪽을 빠져 나가는 것에 끼이지 않도록 슬쩍 물러서서 있다.

사람들이 자신들의 지갑이나, 소지가 가능한 귀중품들을 챙기며 뒤로 나가는 데 그리 오랜 시간이 걸리지 않았다. 최길우는 그대로 김민서에게 턱짓을 했다. '가죠.'라는 의미였다.

강도단이 오기까지 기다릴 생각은 없었다. 그들은 앞으로 나설 생각이었다.

＊

그리고, 그렇게 몇 칸의 열차를 지나서 사람들을 대피시키다가 강도단의 기척을 느꼈다. 소란스럽게 고함을 지르면서 사람들을 윽박지르고, 귀금속들을 탈취하는 모양이었다. 시끄러운 열차의 내부였지만 몇 명의 장정들이 소란을 피우고 사람들이 패닉에 빠졌다가 제압되는 광경은 한 칸 너머의 실내에서도 귀를 기울이면 알 수 있는 장면이었다.

총성도 몇 번인가 울렸다. 수많은 이들을 제압하는데 가장 좋은 수단은 아무래도 총기가 빠질 수 없었다. 물론, 도의적이고 인격적인 대화 수단은 아니었다. 범죄자들이 주로 애용하고는 한다.

리시버는 침착하게 해당 칸의 시민들이 뒤로 물러나는 것을 인도한 다음에, 김민서와 함께 빈 칸에 섰다. 그들은 강도단이 들어오기를 기다렸다.

벌컥, 하고 얼마 지나지 않아서 열차의 문이 열렸다.

"요."

탕!

말한 건 최길우였다. 그는 딱히 상대를 기다려주지 않았다. 최길우와 김민서는 모두, 안쪽에 상 하의를 감싸는 방탄 피복을 입고 있었다. 두께 3cm를 넘지 않으면서 자유로운 움직임을 방해하지 않는 방탄구는 확실히 시중에서 인식하는 시대를 초월한 종류의 물건이었다.

점퍼의 전투 요원이라면 모두 알고 있듯, 총에 맞으면 죽지 않는다. 더럽게 아프긴 하지만.

김민서는 최길우가 총탄을 발사하자마자, 열차의 복도에서 침대

칸 쪽으로 몸을 웅크려 피했다. 눈 먼 총알에 맞는 건 사양이었다. 방탄모부터 시작해서 상하의를 모두 빈틈없이 감싸고 있다지만, 그는 여전히 겁이 많은 소시민이었다. 얼굴로 잘못 날아오는 총알을 맞았다가는 지나간 생에 대한 감상을 떠올리기도 전에 끝장이었다.

타, 타타탕!

이번에 리시버가 가져온 건 제압용의 공기총이 아니었다. 실탄이었고, 강도들을 기다리면서 30발들이 확장 탄창으로 갈아 끼운 상태였다. 리시버는 집요하게 발사를 했다. 1초의 텀도 없이 쏟아낸다.

다만 전쟁과 비슷한 상황이라고 바로 목숨을 노리지는 않는다. 조직은, 그리고 리시버는 어지간하면 인도적인 신병 인수를 바라는 쪽이었다. 사법 절차 내에서 처벌을 받게 하는 편이 깔끔하다.

그런 점에서, 집요하게 팔과 다리만 노렸다. 차례 대로 밀고 들어오는 인원들이 쥐고 있는 총을 떨어뜨렸다.

리시버는 상대가 비명을 지를 틈도 주지 않는다. 빠르고 정확하게 탄창을 털어낸 그는 앞서서 오는 3, 4명까지를 완벽하게 무력화시켰다. 그 너머에서 밀고 들어오는 놈들이 어설프게 샷 건 따위의 총구를 동료의 몸 너머로 겨누었다.

리시버는 그런 이들의 총을 든 손이나, 아니면 총을 직접적으로 노렸다. 몇 미터 정도의 거리를 둔 근거리 사격이라고 하더라도 기예를 뛰어넘는 움직임이었다. 그는 발 수마다 계속해서 위치를 재조정하며 정확한 핀포인트 사격을 했다. 거의가 명중이었다.

순식간에 마주치자마자 상대의 절반을 무력화시켰다. 몇 발이 한 사람에게 중복되어서 박혔고, 탄창이 거의 끝나갔다. 악에 받친 상대가 누가 맞든 신경쓰지 않고 무차별 사격을 하겠다, 싶은 느낌이 들 때 즈음 리시버는 몸을 던지듯이 옆으로 날았다.

한 바퀴 옆구르기를 하는 동작과 비슷했다. 그는 김민서가 있는 쪽으로 날며 그의 몸을 건드렸다.

타앙!

비명이나 신음을 지르는 강도들 너머에서 화가 끝까지 난 이들이 샷건을 갈겨 댔다. 그 사격에 자기들끼리 상처를 입기도 한다. 리시버는 그 손이 민서의 몸에 닿는 순간 도약을 성공했다. 민서를 터치하기 전, 몸을 날릴 때 이미 도약을 실행중이었던 탓이다.

후욱, 하고 둘의 신형이 사라진다.

총격이 멈추자 널브러진 동료들의 몸뚱아리를 밀고 강도단이 안쪽으로 들어왔다. 강도단이 밀고 들어오는 객실의 너머에서는 그들이 샷건을 쏴대며 총격전을 벌이자 몸을 웅크리며 시민들이 벌벌 떨었다. 대부분은 바닥에 납작 엎드렸다. 그래도 꽤나 유효한 대처를 하는 이들이었다.

리시버가 나타난 건 한칸 뒤의 빈 객실이었다.

최길우는 섣부르게 그들의 뒤를 잡고 다시 사격을 하거나 하지는 않았다. 좁은 통로로 밀고 들어올 때 사격을 한 것이라 강도단의 움직임이 제한되었고, 사격 각도가 나오지 않아서 그가 일방적으로 쏴댈 수 있었던 것이었다. 반면 이미 무리가 객실 내부에 있는 뒤쪽으로 돌아간다면 무차별 사격이 바로 시작되고 승객들이 다칠 수도 있었다. 리시버 그 자신은 차치하고서라도 말이다.

김민서와 리시버는 칼슨, 이라고 불리운 붉은 머리의 리더와 그 무리들이 다가오는 진행 방향의 한 칸 뒤에서 숨을 고른다. 김민서는 벌벌 떨리는 손과 다리를 제어하느라 애를 써야 했다. 하는 건 아무것도 없었으나, 극도의 스트레스는 계속해서 받고 있었다. 이게 맞는가, 라는 생각을 계속해서 한다.

"이게 맞나요?"

입 밖으로 말이 튀어나왔다. 최길우 역시 숨을 가다듬으며 탄창을 갈았다. 보통 상의의 안주머니나 하의의 바지춤에 많이 넣어두는 편이다. 탄창 정도는, 겹쳐서 보관하지 않고 몸에 밀착시킨다면 그래도 충분히 많은 양을 소지하고 점프할 수 있었다. 그게 아니라면 가방 따위에 몰아넣고, 점프를 할 때마다 손에 쥐고 있어야 했다.

최길우는 허리춤의 벨트를 이용해서 이런저런 물건들을 많이 달고 다니는 편이었다. 그의 등허리는 탄창으로 일단 가득 채워져 있었다. 이 정도의 임무에 사용하는 건 길이 잘 든 권총 하나면 충분했다. 상대가 기갑 전력도 아니었고, 맨몸으로 움직이는 여러 명이라면 정확한 빈틈을 노려서 사격하기만 해도 무력화가 가능했으니 말이다.

탄창 하나를 갈고 버린다. 김민서는 그것을 적당히 주워서 챙겼다. 어지간하면, 점퍼들이 움직였다는 사실을 남겨두지 않는 편이 바람직했다. 어디까지나 가급적이면, 에 한하는 일이었다.

최길우는 일단 탄창을 갈아끼우고 총을 재장전 하며 말했다.

"맞습니다. 잘 하고 있고요. 당신은 지금 평균적인 점퍼 임무의 실전을 겪고 계십니다."

게임 가이드에 음성 녹음이라도 된 듯한 우스운 말투였다. 김민서는 웃고 싶었지만 차마 웃음이 나오지 않았다. 최대한 억지로라도, 끌어 올려서 안면을 움직여 봤으나 메마른 듯한 표정이 전부였다.

"오네요."

최길우가 다시 장전을 마친 권총을 발아래 즈음의, 하향 전방으로 겨누었다. 적들은 점퍼에 대해서 알고 있을 확률이 높았다. 그러나 적대적인, 점퍼와의 근접전은 처음이리라. 상대가 어디로 움직이는 지 전혀 알 수 없는 상황에서의 총격전은 꽤나 입체적인 것이었고, 생각보다 머리를 많이 써야 하는 일이었다.

수도 저쪽이 많았고, 화력도 저쪽이 강한 편이었지만 지금은 혼란스러우리라. 지금도 앞으로 계속 밀고 들어오면서 리시버가 여기에 있으리라고 정확하게 예상하지는 못했을 것이다.

벌컥, 하고 열차의 칸을 나누는 철문이 열린다. 그 틈새로 지저분한 차림새의 두꺼운 다리가 보이자 최길우는 일단 방아쇠를 당겼다. 탕! 타타타, 탕! 그대로 문이 계속 열리면서 밀고 들어오는 인형들을 향해서 난사를 했다.

속도는 물론 난사의 속도였지만, 명중률은 뛰어났다. 최길우는 팔이나 다리가 아닌 곳은 맞추지 않고 있었다. 움직이고 비명을 지르며 팔다리를 휘두르는 적들을 향해 보이기에는 말도 안되는 기예였다.

상대의 총구가 얼굴 방향까지 올라오지만 않는다면 첫 발에 죽지는 않는다. 그게 샷건 탄이라고 해도 말이다. 정말 더럽게 아프지만 살 수 있었다. 최길우는 그런 짐작으로 탄창을 털어냈다.

이번에는 더 얼마 걸리지 않았다. 두, 세 명쯤 무력화 시키고 상대의 장비에도 총탄을 맞출 때 뒤쪽에서 강도들의 몸을 비집고 샷건의 총구 하나가 머리를 쑤셔 박으며 디밀었다. 최길우는 차갑게 뒷 목이 얼어붙는 것 같은 감각을 느끼며 다시 한 번 침대칸으로 몸을 날렸다.

쾅!

샷건이 발사되고 탄환들이 퍼지며 전방을 초토화시킨다. 얼굴에 닿을 정도로 충분히 위를 향한 총구였다. 그러나 총구가 동료들의 몸을 비집으며 튀어나오려 할 때, 미리 봐버린 최길우가 조금 더 빨랐다.

약 한 호흡의 텀이 있었고, 그 정도면 점프를 하기에도 알맞은 시간이다.

최길우는 다시 한 번 김민서에 몸을 건드리며 전방에서 피했다.

점프 이용의 주요점은 결국 다양한 방향과 각도에서 움직임을 나타내는 것인데, 열차 내부라는 조건이 그들의 움직임을 앞이냐 뒤냐, 로의 단순한 것으로 제한했다. 물론 그것이 최길우가 실패를 할 만한 요인까지는 아니었다.

샷건의 총탄이 빈 객실을 맞추었고 최길우는 다시 한 번 사라진다.

쾅! 하고 다시 한 번 큰 소리가 났지만 총성은 아니었다. 칼슨이 주먹으로 객실 벽을 쳐댄 것이다. 다시 강도단이 쓰러져 있다. 팔다리에 구멍이 나서 움직이지 못하는 상태다. 남은 건 칼슨과 한 명 뿐이었다. 칼슨은 '빌어먹을!'이라고 욕지기를 내뱉더니 쓰러진 이들의 샷건을 챙겼다.

여러개를 챙겨 들고 난사라도 할 생각인 듯했다.

붉은 머리처럼 그 얼굴도 붉게 달아올랐다. 화가 단단히 난 모양이다.

*

시민들은 성공적으로 대피를 한 것 같았다. 칼슨이 몇 칸 더 앞으로 진행을 할 때까지도, 승객들은 아무도 없었다. 그들이 미처 들고 가지 못한 짐들 따위가 자리를 채우고 있었으나, 중요한 귀금속류는 모두 들고 도망친 뒤다.

반면 리시버와 김민서는 이번에는 칼슨이 다가오는 방향의 뒤쪽으로 넘어서 점프를 했다. 승객들이 있는 공간이었다. 한 차례 총성에 제압을 당하고, 물품들을 빼앗긴 이들은 기가 죽은 채로 각자의 객실 안에 엎어져 있거나 숨죽인 채 있었다. 언제 미친 강도들이 돌아와서 난리를 피울 지 몰랐다. 그들은 달리는 열차 안에서 도망을 칠 생각도 못한 채, 그러고 있다.

리시버가 이야기했다.

"얼마 남지 않았습니다. 뒤에서 쳐서 깔끔하게 보내는 게 낫겠죠."
"상대가 악에 받친 것 같던데, 예상을 하지는 않을까요?"

리시버가 고개를 저으며 말했다.

"아마 상대의 예상보다 제 총알이 더 빠를 겁니다."

상당한 자신감이었다. 실제로, 리시버가 근접 총격전에서 보여주는 성과는 놀라운 편이었다. 그는 타고난 운동 선수라고 해도 좋을 정도였다. 재능의 영역에 가까웠다. 그는 점퍼 조직에서 소드 마스터와 함께, 특별하게 취급되는 인원이었다. 점퍼로서의 능력을 빼고 보더라도 엘리트 특수 부대원에 가까웠다.

그러나, 민서의 말대로 약이 오를대로 오른 상대방의 움직임은 확실히 대처해야할 만한 것이었다. 리시버는 열차의 문을 열고 다른 칸으로 넘어갔다. 칼슨이 있는 곳까지 움직이기 위해서는 아마 몇 번 더 이동해야 할 테였다.

그렇게 도움이 되지도 않고, 겁이 많으며, 총을 제대로 겨누지도 못하는 민서를 데리고 굳이 싸울 필요는 없었다. 민서를 데려온 건, 어디까지나 실전 감각을 몸으로 익히고, 중요할 때 몸이 굳지 않게 하기 위해서였다.

그리고 그가 어느 정도 발휘 가능한 JE2가 있는지, 실전에서 확인하기 위해서였다. 그가 제대로 능력만 발휘해준다면 점퍼가 있는 전장에서 조직은 치트키를 얻은 것이나 마찬가지로 행동할 수 있었다.

물론 민서의 능력이 온전하게 개화되지 않은 상황에서 그 치트키를 제대로 사용해서 효과를 볼 수 있는 건 특수한 요원 뿐이었다. 리시버나, 소드 마스터 정도.

그런 의미에서, 최길우는 몇 칸을 더 조심스럽게 움직이다가 다음 칸에서 상대방의 기척이 느껴지는 것 같자 민서에게 말했다.

"여기서 기다리십시오."

달리는 열차의, 칸과 칸 사이를 잇는 짧은 공간이었다. 외부에 그대로 노출된 채였고, 계곡과 숲을 넘어 달리는 시베리아의 공기가 차가웠다. 민서는 총알을 피하는 대신 이곳에 있는게 과연 더 나은가 잠깐 생각했다.

그리고 최길우는 그런 민서의 의사를 묻지도 않고 어깨를 툭툭, 두드렸다.

"마음을 잘 지키시고요. JE2가 발현될 수 있도록 평정심을 유지하십시오. 만약 강도단 쪽의 점퍼가 들어오면 당신의 활약이 꼭 필요합니다."

민서는 그 말에 어영부영 고개를 끄덕거렸다. 정신이 하나도 없는 상황이었다. 이 양반이 뭐라고 하는 건지. 말이야 들렸지만 머리가 제대로 돌아가지 않는다. 최길우는 그런 모습에 안심을 했다는 듯한 표정으로 슬쩍, 문 앞에 다가섰다.

*

총격전이 벌어질 곳에 진입하는 일은 조심스러웠다. 해당 칸에 바로 칼슨이 있는 모양이었다. 귀를 기울이고 기척을 살피지만 정확한 위치까지는 알 수 없었다.

최길우는 머릿속으로 공간을 그려보았다. 점퍼의 공간 도약은 약간의 시행 착오를 거치면서 발동될 수 있는 종류의 것이었다.

열차 내부의 구조도를 그린다. 바로 전 칸과 동일하다는 가정하에. 틀리지 않는다면 총격을 피할 수 있을 테였다. 잘못 간다고 하더라도, 보통 사물에 걸려서 점프 자체가 되지 않을 확률이 컸다.

만에 하나, 점프도 제대로 되었고 상대의 총격에도 노출되는 자리라면 얼굴만 일단 보호하면 되었다. 점프의 기척은 점퍼가 아니라면 거의 느끼지 못하는 경우가 많았다. JE의 움직임을 느낄 수 있는 건 그것을 이미 경험해서 알고 있는 사람이 집중하고 있을 때나, 혹은 그것을 다루는 이일 때가 많았다.

대부분의 경우에 점프는 순식간에, 알아채기 어렵게 이루어진다.

최길우는 등을 돌린 채로 도약을 했다. 후욱, 하고 그의 신형이
사라졌다.

*

다행히도 열차 내부는 전 칸과 구조가 똑같았다. 그는 한 침실
칸의 침대에 등을 기댄 채로 나타났다. 객실 안쪽으로 들어오자 칼
슨과 동료의 기척이 들린다. 소리로 들어보니 꽤나 먼 거리였다.
다음 칸의 문 앞 쪽에 서 있는 듯하다.

최길우는 들어오는 문 바로 앞에 있는 침실 칸에 있었으므로,
그와는 몇 미터의 거리가 있는 셈이다.

저벅거리며 걷는 소리가 들린다.

"개 같은 놈!(собачье дерьмо!)"

적발의 남자가 소리를 친다. 최길우로서는 그게 누구의 목소리인
지는 모르지만. 어쨌든 강도들 중 한 명의 욕설이었다. 러시아 어
는 조예가 깊지는 않았다. 필요한 말(열차에 도착해서 협조를 구할
때 쓰는)정도는 몇 개 외워두고 간단한 회화는 가능했지만 자유롭
게 대화는 불가능하다.

대강 어투로 보아하니 욕설이라고 짐작할 뿐이었다.

최길우는 뒤돌아 선 채로, 권총을 파지하고, 영화에서처럼 얼굴

즈음에, 총구를 하늘로 향해 들고 긴장한 채 멈추어 있었다. 호흡을 가다듬는다. 실수가 있어서는 안된다. 돌자마자, 상대의 위치를 확인하고 먼저 쏜다. 상대는 아직 자신이 객실에 들어온 걸 몰랐다. 높은 확률로, 그가 빠를 것이다.

상대의 진행 방향을 짐작하면 아마 뒤를 돌고 있을 테니까. 발걸음 소리는 두 명의 것이었다. 한 번에 두 명. 최길우의 근접 교전 실력이면 어렵지는 않았다. 게다가 그는 정확히 얼굴에 맞아야만 불능 상태가 되지만, 상대는 어디에나 맞으면 총알에 뚫린다. 샷건이라는 점이 조금 걸렸지만, 그것도 쏘기 전에 무력화시킨다면 차이는 없다.

최길우는 이런 종류의 사선을 밥 먹듯이 넘어왔다. 이런 일이, 영화에서나 가끔 다루어지는 이런 순간들의 전문가나 다름이 없었다.

그는 요란스럽게 몸을 움직이지 않았다. 천천히, 긴장감을 풀고, 소리를 내지 않고 자연스럽게 몸을 반회전 시켜 움직였다. 춤에서 스텝을 밟는 것처럼 깔끔한 동작이었다.

주의하지 않는다면 그가 움직이는 소리를 듣지 못할 만큼 조용한 동작이었다. 그리고 움직이는 열차의 속도와 소음은 그것을 더 어렵게 만들었고.

휙, 하고 깔끔하게 돌아 상대를 향해 총구를 들이밀 때까지 상대들은 최길우를 발견하지 못했다. 무방비로 등을 노출시켰고, 몇 초의 텀이 충분히 있었다. 그리고 그 정도면 리시버에게 충분하고도 남는 시간이다.

탕, 탕탕탕! 망설임 없는 속사였다. 칼슨과, 다른 한 명의 장정이 있었지만 제대로 대처하지 못했다. 칼슨의 부하가 뒤에 서 있어서 조금 더 빨리 알아챘지만, 리시버를 향한 유의미한 대응은 하지 못한다.

칼슨의 다리를 먼저 맞추었다. 그리고 그 옆에 있던 부하의 팔다리를 침착하게 겨누어 무력화시켰다. 칼슨은 팔이 살아 있었다. 보통 권총탄이던 뭐던, 한 발을 맞으면 쇼크로 몸을 가누지 못한다. 칼슨은 지독한 인간이었다. 그는 무너지는 몸을 가누지 못하면서도 샷건을 겨누었다. 물론 최길우가 그런 동작을 받아들일만큼 무방비하지는 않았다.

탕! 그가 들이미는 샷건의 몸통을 총알로 맞추었다. 여전한 기예였다. 팔다리를 정확히 핀포인트로 명중시키는 것이나, 크게 다름은 없는 기예였지만. 실제 사격전에서 하기에는 비슷한 일보다 훨씬 높은 난이도를 연습 중에 성공시킬 실력이 필요했다.

샷건은 제법 튼튼했다. 총알에 맞고도 칼슨은 방아쇠를 당긴다. 총구가 멀리 돌아간 채로 샷건의 방아쇠가 당겨졌고, 산탄이 뿌려졌다. 탕! 객실 내부 여기저기에 총알이 박힌다. 도탄 따위가 사람을 해치지는 않았다. 객실 내부가 엉망이 된다.

최길우는 마지막으로 한 발을 더 사용했다. 탕! 그것이 칼슨의 어깨에 맞아들었고, 그는 그대로 끝이었다. 죽지는 않았으나 더 이상 움직일 기력은 없었다. 총을 들고 조작하던 오른쪽의 어깨였다.

최길우는 천천히, 총을 그대로 겨눈 채 언제든 발사할 수 있게 파지하고 앞으로 뻗고서 다가갔다. 상대가 무력화된 것처럼 보여도 최후의 발악을 한다면 대응 사격을 할 수 있도록 말이다. 안전함을 위한 노련한 처사였으나, 이미 움직이지 못하는 꼴이 된 적들에게 는 과분한 태도이기도 했다.

*

벌컥, 하고 열차의 문이 열렸다.

열차 문이 열리는 동작 범위 옆에, 열차의 위로 통하는 철제 계 단을 붙들고 있던 민서는 놀라지도 않았다. 찬 바람에 뺨이 사라질 것 같았다. 비니가 귀 까지도 보호를 했지만 안면은 그대로 노출이 되어 있었다. 이럴 거면 고글이라도 사서 끼고 있을 걸.

열린 문으로 나오는 건 다행스럽게도, 최길우였다. 민서 역시 그 러리라 짐작을 했다. 자신의 목숨을 그의 손아귀에 맡긴다면 여전 히 떨기는 할 테였지만, 민서가 보기에도 최길우는 특별한 수준의 인간이었다.

수많은 기예를 보일 수 있었고, 점퍼로서의 능력을 사용하며 동 시에 노련한 군인이었다. 고작 몇 명의 적에게 당할 것 같지는 않 았다. 그리고 모르긴 몰라도, 점퍼 조직에서 이런 장소에 그 하나 만을 투입한다는 건 생각보다 실패할 확률이 훨씬 낮다는 의미처 럼도 보였다. 조직이 사지에 요원들을 내미는 것이 아니라면, 그가 보는 것보다 훨씬 더 노련한 인간이라는 의미이기도 했다. 리시버 가 말이다.

"으어."

민서는 낮은 기온에 칼바람에 입이 얼어붙은 것 같아서, 제대로 인사를 하지 못했다. 그 모습에 최길우가 다시금 다가와서 어깨를 툭툭, 두드렸다.

"고생하십니다. 뒤쪽은 끝났고, 앞 칸으로 가서 남은 놈들 제압해야 겠네요."

열 명을 처리하는데 탄창이 두 개 정도 들었다. 조금 더 넓은 지역에서 교전을 한다면 더 필요할 지도 모른다. 리시버는 조금 남은 탄창을 새 것으로 갈아 끼웠다. 앞으로 다시 움직일 차례였다.

*

민서가 보기에 리시버는 미친 것 같은 인간이었다.

그들은 성큼성큼, 걸음을 걸어 나갔다. 칼슨의 무리들을 제압하기 위해 뒤로 온 만큼을 빠르게 돌아갔고, 그 이상 앞으로 나갔다. 기관실을 목표로 하고 움직이는 이들을 잡아야 한다. 앞으로 갈수록 열차의 내부가 달라졌다. 급수에 따라 칸의 모양이 달라지는 듯했다. 점차 실내처럼, 간이형의 모텔같은 객실이 있는 곳으로 변해 간다.

열차 내부의 모습도 개방형이 아니라 한쪽에 복도가 있고 다른 이들이 일부러 그 안에서 고개를 내밀어야만 했다.

라미노프와 강도단의 두목은 많은 이들을 손쉽게 무력화하며 금

품을 갈취했다. 앞칸으로 갈수록 소득이 괜찮았다. 아무래도 하등
칸에 타는 것보다는 상등칸에 있는 애들이 재력이 괜찮은 경우가
많았다. 귀금속, 현금, 수표, 악세사리, 전자기기 따위들을 무차별적
으로 걷는다.

질기고 오래 된 가죽 보자기 따위에 아무렇게나 집어 넣었다.
전자기기가 깨질 것도 같았지만, 그런 걸 신경쓸 여유는 없었다.
최대한 털어 넣고 그들을 빠르게 자리를 뜨는 것이 목적이었다. 열
차 하나를 털고 나면, 기관실까지를 점거해서 바로 움직임을 멈춘
다.

한 자리에 멈춘 열차는 강도단에게 협력하는 점퍼가 오기에 좋
은 장소이다. 그 전까지가 타임 어택이었다. 지나치게 시간을 끌게
되면 러시아의 군 병력이나 치안 병력이 들이닥칠 수도 있었다. 러
시아가 잘 사는 나라는 아니고, 국토에 대한 영향력도 워낙 넓어서
부족하다고 하지만 정말로 아무런 힘도 없는 곳은 아니었다. 정면
에서 걸리면 그들 같은 범죄자들은 뼈도 추리지 못하게 된다.

그렇게, 굵은 몸통의 라미노프와 비슷한 장정인 두목이 앞으로
움직이는 것을 리시버와 김민서가 따른다. 강도단의 두목의 이름은
'첼시'였다. 남성적인 분위기의 이름은 아니다. 그러나 그는 누구보
다더 험악하고 거친 인상의 인간이다.

첼시와 라미노프를 비롯해서 총 11명의 인원이다. 그들은 일사
분란하게, 마치 오래도록 해온 일인냥 움직였다. 리시버는 승객들
의 소란을 따라 움직인다. 그들의 증언에 따라, 첼시와 라미노프가
있는 바로 전 칸에 도착했다. 사람들의 말을 들어보니 겨우 수 초
전에 떠났다고 한다. 그들이 조금만 빨랐어도 맞닥뜨렸을지 모르는

시간의 차이였다.

리시버는 망설임없이 도약을 시도했다. 한번 더, 보여주는 기예였다. 달리는 열차 속에서 정확히 핀포인트로 점프를 해내는 것은 말이다. 열차의 속력이나 방향을 고려해서 하는 것이었고, 만약 복잡한 커브 길을 계속해서 돌고 있담녀 최길우에게도 실패 확률은 있었다.

다행히도 열차는 쭈욱 직진을 하고 있는 채였다. 철로를 따라. 속도도 일정한 편이었고. 계산이 어렵지는 않다. 리시버는 민서의 어깨에 손을 대며 이동했다.

"가자마자 일단 침대에 숨으십시오."

관객들의 안전을 최대한 보장해주고 싶었지만 그가 줄 수 있는 팁은 민서에게 준 이것이 전부였다.

그나마 앞쪽으로 가면 복도가 좁고 승객들이 노출된 확률이 더 적었다. 대신 그는 죽어나겠지만, 상황을 잘 이용한다면 아까처럼 수가 많은 상대방을 농락할 수도 있었다. 상대가 동료의 몸뚱아리를 넘어서 자신을 쏘는 걸 망설이지 않는 종류의 사이코패스라면 여전히 위험했지만.

민서는 참 다양한 직업 체험을 하고 있었다. 이런 일이 자신에게 일어나다니. 솔직히 조직에 들어간다고 해도 사무직 따위의 일을 하고 싶었지, 이런 현장직에 투신하고 싶지는 않았다. 요즈음 돌아가는 분위기를 보면 조직원들이 자신에게 바라는 건 아주 다른 것 같았지만 말이다.

후욱, 하는 미세한 소리와 함께 그들이 단체 도약을 했다. 다시 나타난 자리는, 라미노프 등이 있는 객실의 앞 칸이었다. 상당히 앞쪽으로 왔을 것을 생각해서 기관실 근처의 자리로 넉넉하게 이동을 한 것인데, 생각보다 반대쪽의 진행이 빨랐다.

벌써 기관실이 코앞이다. 조금만 늦었으면 열차가 멈추고, 상대편의 점퍼를 상대하며 난전을 벌여야 했을지도 모른다. 물론 그런 상황까지 상정하고 온 것이었고, 그러기 위해 민서를 데려온 것이었지만 말이다.

가급적 쉽게 갈 수 있다면, 빠르게 끝내는 것이 좋다.

탕! 하는 총성이 객실의 너머로 들렸다. 열차 내부의 분위기가 심상치 않은 것이 열차 전체로 퍼져나간다. 총성이나 심각한 분위기를 느끼고 다른 칸으로 도망가는 이들이나, 연락을 취한 이들도 있을 것이다.

달리는 열차는 그것만으로 밀실이다. 강도들은 그 내부에서 자신들의 완력을 이용해서 완벽하게 일을 처리한 다음에, 서둘러 이곳에서 빠져 나가야 했다.

리시버는 대충의 상황을 살피며 상대의 움직임을 예상했다. 앞 칸에서 총성이 울렸다면, 상황 정리에 그렇게 긴 시간이 소요 되지는 않을 것 같았다. 앞 칸에서 정신적으로 지옥도나 마찬가지인 패닉 상태가 펼쳐지고, 그것을 강도들이 다시 제압을 하고, 사람들이 가만히 있는 틈을 타서 금품을 갈취하고… 그리고 강도단의 리더가 무리들을 내세우며 이번 칸으로 넘어올 것이다.

어차피 들어오는 통로는 한 군데였다. 사람들 역시 총성을 듣고 숨죽이고 있다. 리시버는 다시 한 번 통제를 위해 총을 쏘지 않아도 되는 것에 감사했다. 대신 나지막하게, 하지만 최대한 멀리까지 들리도록 힘을 주어 발음했다. 영어였다.

"다들 침대 밑에 들어가있던, 각자 룸에서 나오지 마십시오. 열차 강도들의 샷건 탄이 어디로 튈 지 모르니까."

그 말에 사람들은 일단 제대로 반응을 했다. 겁을 집어 먹고 바들바들 떨기야 했지만. 민서 역시 그런 바들바들 떠는 이들 중에 하나였다. 리시버의 말에 잘 순종하는 중이었다. 위기 상황에서는 전문가의 말을 듣는 편이 좋다. 자신이 그 상황에 대해 무지한 문외한이라면 더욱 말이다.

다만 빼꼼히, 바닥에 죽은 듯이 누운 채 조금 고개를 내밀어 앞을 바라보기는 했다. 설마 샷건의 탄환이 이곳까지 올까, 하는 마음은 있었다. 그럼에도 총격전이 시작되면 다시 고개를 집어 넣을 생각이었다.

머리 부위는 캡처럼 뒤집어 쓰는 방탄구로 인해 보호받고 있다. 눈이 있는 부분만 가려진다면 걱정 없이 구경을 해볼 수 있을 텐데. 그는 위험함에 대한 호기심 반, 두려움 반으로 떨면서 앞을 본다.

최길우가 권총을 앞으로 들고 뻗은 채 문을 주시하고 있다. 위력이야 나쁘지 않은 것 같지만, 9mm자동 권총 가지고 샷건을 든 무리들을 상대하는 모습이 무모함처럼 보이기도 했다. 최길우의 솜씨를 모른다면 그렇게 느낄만한 상황이었다. 그리고 실상 장비로 보더라도, 사실은 리시버쪽이 온 몸을 뒤덮고 있는 방탄갑을 입고 상대가 무방비로 노출된 상태였다.

침착하게 사격을 한다면 보통 이긴다. 달리는 열차 내부, 일직선상의 좁은 통로 속에서 어떤 변수가 일어나지만 않는다면.

리시버는 조용히 열차 문을 바라다보았다. 덜컹덜컹, 움직이고 흔들리는 기차의 진동이 일정하다. 그 사이에서 균형을 잃지 않고 상대를 정확하게 사격해야 한다. 최길우의 사격 솜씨는 일반적인 상식으로는 잘 설명이 가지 않는 수준의 기술들이었다. 타고난 인간이 사선을 몇 번이나 넘으면서 손에 피가 베이도록 훈련을 한다고 해도, 될까 말까한 모습이다.

덜컹, 하는 기차의 소음과 진동에 발맞추어 앞쪽의 철제 도어가 돌아간다. 잠금 레버가 돌아가고 문이 열린다. 무리들이 넘어온다. 최길우는 가장 먼저 들어오는 무리들, 두터운 몸통에 각자 샷건을 꼬나쥔 러시안 강도들을 향해서 총구를 들이밀었다.

"반갑네."

들릴 리가 없는 인사였지만, 최길우 나름의 스타일이었다. 긴장을 풀어내는 헛소리는 나름대로 유용하다. 그런 헛소리와 여유를 가지고도 이길 수 있을 만큼의 실전 감각과 실력이 있다면 말이다.

탕탕탕! 일정한 간격으로 총성이 울려 퍼졌다. 연사보다는 조준 점사였다. 그러나 그 텀이 지나치게 짧았다. 똑같은 박자로 북을 두드리듯 고음의 총성이 열차 객실 내부를 잠식했다. 갑작스러운 총격에 강도들은 당황한다. 콰앙! 샷건 하나가 쏘아졌다. 최길우를 향한 건 아니었다. 문을 넘어오던 무리 중 하나가 동료의 몸에다 대고 발포했다.

차마 말하기 어려운 광경이 펼쳐졌다. 방탄 장비가 없이 샷건을 맨 몸에 맞으면 당연히, 대형 동물이라도 심각한 부상이나 죽음의 위기에 놓인다. 사람이라면 말할 것도 없다. 눈뜨고 보기 어려운 심각한 꼴이 튀어나왔다.

피나, 그 안에 담긴 것들이 반경으로 흩어진다. 강도단 역시 패닉에 빠졌다. 그들은 약탈하는 자들이었지, 일방적으로 당하는 존재들이 아니었다. 최길우는 침착하게, 어떤 요소에 반응하지 않고 조준사격을 계속했다.

그가 움직이는 트리거는 한 가지 뿐이었다. 점퍼가 없다면 앞에서의 공격 뿐이다. 정면에서 자신의 안면부를 노릴 정도로 겨누어지는 샷건의 총구가 있는가, 없는가. 그것이 없다면 그저 계속해서 탄알을 흩뿌릴 뿐이었다.

팔, 다리, 팔, 다리, 팔, 다리, 상대가 가진 샷건의 몸통부위. 여기저기에 자동 권총의 탄알이 날아가 박혔다. "으아아악!" 강도들 역시 총을 맞으면 비명을 지른다. 그들이라고 사람이 아닌 것은 아니었다. 삶의 방식을, 다른 이들에게 피해를 주는 길을 선택한 어리석은 인간들일 뿐이었다. 총에 맞으면 똑같이 아프고, 비명을 지르고, 실신을 한다.

아무리 건장한 남성이라도 보통 납탄이 들어가면 그렇게 된다. 사람의 신경계나 혈관, 뼈마디 따위는 연결이 되어있는 탓이다. 보통 여러 발을 맞으면 즉사를 하게 되고 말이다. 천운이 따르지 않는 이상.

강도 무리가 뛰쳐나오며 얼마간 쓰러져갔다. 개중에 한둘은 자신들의 사격에 스스로 넘어갔다. 최길우는 아직까지 그들을 죽이지는 않았다. 오래도록 두면 실혈사를 하게 될지는 모르겠지만.

통로는 좁다. 그리고 1등 칸으로 오면서 복도는 더 좁아지고 객실 내부의 침실 칸이 더 넓어졌다. 작은 복도에서 비집고 들어오다가 그대로 총탄의 충격에 패닉 상태에 빠진 장정들이 허우적거렸다. 그 뒤로 도망가지는 않았고, 계속해서 밀고 들어온다. 손에 든 샷건은 쏘지 못하도록, 앞에 들어오는 이들의 손과 팔, 샷건 자체를 노렸다. 그렇게 한 열을 제압하고 나면 나머지는 뒤엉켜서 제대로 사격을 할 상황이 나질 않는다.

강도들은 후퇴라는 걸 모르는 듯했다. 뒤에서 그들을 밀어대는 두목의 존재 때문인지도 모른다. 열이 오르면 그대로 돌진을 해서 샷건을 몸통에 박아 넣는 것만 생각하는 것 같은 움직임이다.

강도들에게도 나름대로의 행동 강령이나, 규율이 있는지도 모르겠다. 승객들을 억압하고 무력으로 모든 것들을 해결해야 하는 그들은 겁에 질려서는 안된다. 후퇴를 해서도 안되고. 총을 들고 무력하게 쓰러지는 모습을 보이고 빈틈을 보인다면 그들이 눌러 놓았던 승객들이 결국 그들에게 덤빌지 몰랐다.

수 많은 인원들을 동시에 겁박하고 제어하는 것도 꽤나 힘이 많이 드는 일이었다. 그래서 강렬한 위압감이나 기세가 필요하다. 실제로 발휘할 수 있는 힘 이상의 영향력을 동시에 끼칠 수 있는 것 말이다.

김민서가 보기에, 최길우는 그런 분위기를 가진 자였다. 한 치도 물러섬이 없이 총을 든 괴한들을 상대로 사격을 해대는 건 기계적이라기보다, 신비로운 느낌이었다. 그 정도의 침착성과 정확성을 사람이 가진다면 도리어 경이로운 생각마저 든다. 그는 작은 권총 하나로 십 수 명을 확실하게 제압하고 있었다. 심지어 죽이지도 않고서.

객실의 내부는 엉망이었다. 저들끼리 중구난방으로 쏘아댄 샷건의 탄환이 박혀 들어간다. 기차의 벽면은 나름대로 튼튼하게 지어졌는지, 혹은 승객들이 잘 숨은 것인지 승객 칸에서 비명이 터져 나오지는 않았다. 기차의 외벽은 총탄으로 바로 뚫리지는 않았다.

그리고 자기들끼리 오사격으로 인해 발생한 중환자나 사망자들의 신체 일부, 혹은 신체 내부의 것들이 출입구 쪽에 흩어져 있었다. 길게 튄 핏자국도 있었고, 최길우가 쏘아낸 탄환에 맞아서 질질 흘리는 핏자국도 여기저기 흩뿌려져 있다.

비명을 지르고, 승객들은 웅크린 채 숨을 삼키거나, 고개를 내밀지 않거나, 총성이나 그 여러가지 살을 파고드는 소리만으로 벌벌벌 떨면서 여기저기 몸을 박아대거나 했다. 김민서는 나름대로 침착한 심정으로 그 모든 상황들을 지켜보고 있었다.

아니, 어쩌면 한도가 넘어버린 현실성에 눈이 맛이 가버린건 지도 모른다. 상황을 인식하고 받아들이는 뇌에 문제가 생긴 건지도 모르겠다.

확실히 갑자기 시베리아 횡단 열차를 타고, 백인 열차 강도들의 무리와 맞닥뜨린 다음에 그들의 죽음이 여기저기 흩어져 있는 모습을 보고 뇌가 정상적으로 돌아갈 한국의 청년은 많지 않을 것이다. 당장 군대에 가서도, 그런 모습들을 구경하기가 쉽지 않으니 말이다.

부대마다의 사정이 있고, 사건 사고는 언제나 일어나는 것이기는 하지만. 사건과는 조금 거리가 먼 평탄한 삶을 살아온 편이었다. 김민서는 말이다.

김민서가,

최길우는 미친 인간이라고 생각했던 이유는 다음에 그가 벌인 일 때문이었다.

최길우는 어느 정도 정면에서 그들을 제압했다고 느끼자 곧바로 도약을 시작했다.

난전을 유도하고 상대들 스스로를 장벽으로 만들어서 사격을 해대는 것도 한계가 있었다. 결국 앞을 막는 것들이 사라지고 상대 역시 침착함을 찾는다면 샷건의 앞에서 권총이 보일 수 있는 퍼포먼스는 제한적이다.

이럴 때는 자신이 가진 다양한 능력들을 활용하는 것이 좋았다. 최길우는 점프를 사용해 무리들이 있는 사이로 비집고 들어갔다. 그는 거리를 잘 재고, 공간감각이 탁월했다. 사람 하나가 들어갈만한 자리가 멀리서 보이는 것 같자 그 사이에 이동한 것이다.

후욱, 하는 서늘한 감각이 느껴진 것 같았다. 조직원들 사이에서 말이다. '조직원'이란 범죄 조직의 일원인 강도들이었다. 그리고 강도단의 행동대장이자, 이 자리에서의 리더인 첼시와 라미노프 역시 그런 싸늘한 감각을 느꼈다.

그들 역시 예상치 못한 사태에 당황하며 부하들을 밀어 넣고 총을 갈길 생각만 하고 있었다. 그들이 피를 흘리며 도망치는 모습을 보여봤자 좋을 것이 없었다. 이미 시작한 약탈 행위는 끝까지 가야만 했다. 결국 타인의 목숨을 빼앗고자 하는 건 자신의 목숨도 빼앗길 위험이 있는 일인 것이다.

열차 강도를 시작했다면, 그것을 완수하지 못한다면 그들에게 기다리는 건 비참한 죽음 뿐이었다. 어떤 식으로든. 러시아의 당국은 이런 강력 범죄자들에게 어설픈 온정을 베풀어 주는 단체가 아니었다.

최길우가 그들 사이로 넘어오는 전조를 느낀 것은 그들 범죄 무리가 '점퍼'에 의해서 도움을 받고 있었기 때문인지도 모른다. 애초에 모른다면 잘 느낄 수 없었지만, 점프에 대해서 경험이 있는 자들은 JE에 대해 비교적 민감하게 반응한다.

최길우는 머릿속에서 밀도 높은 시뮬레이터를 돌렸다. 실제 시뮬레이터가 있는 건 아니었으니, 상상의 영역이었다.

점퍼들이 사용하는 JE는 가상의 컴퓨터에 비유하고는 했다. 왜냐하면, 그것이 물리적으로 이동하는데 필요한 다양한 계산들을 대신 처리해주기 때문이었다. JE자체에 내장되어 있는 힘인지, 무엇인지 알 수는 없지만 그 때문에 점퍼들은 공간이동을 할 수 있었다. 그런 기능이 아니라면 훨씬 더 제약적이고, 일부만이 쓸 수 있는 힘이었을 테다. 점프라는 것은.

최길우는 그런 JE의 미세한 사용과 응용에 있어서 달인에 가까운 자였다. 그리고 그 가상의 컴퓨터에 도움을 받는 것조차 일부 가능했다.

점프를 시도할 때 그곳이 점프가 가능한 자리인가, 아닌가 하는 감각이 있다. 빈 자리라는 감각이 있다면 그곳은 자신의 몸이 비집고 들어갈만한 공간이 나는 것이다.

그리고 점프를 미세하게 나누어서, 짧게 컨트롤을 한다. 점프의 전체 과정에서 시작 단계를 의식적으로 발동했다가, 오류를 보고 캔슬을 하는 것이다. 이 미세한 조작에서 실패를 하면 헛되이 점프의 도약 횟수를 낭비하고 만다.

이 미세한 계산, 최길우가 이해하기 쉽게 간보기 점프라고 이름 짓는 것은 일반적인 점프보다 훨씬 빨랐다. 익숙해질수록 더욱 시간이 짧아진다. 전체 점프의 과정 중에서 초반의 일부만을 사용하는 것이기에 그러하다. 1초의 반의 반 정도면 수 번을 시도하고 정확한 자리를 찾아볼 수 있었다.

그리고 이 자리를 찾는 일은, 해당 좌표가 사람이 들어갈 수 있는 빈 공간이 있는가, 혹은 고체 등의 물질로 차 있는가, 를 구분하는 일이기에. 조금 더 감각적으로 미세하게 구분을 한다면 해당 장소의 생김새 역시 알 수 있었다.

점퍼들간이나, JE에 익숙한 인간과의 전투에서 상대의 위치를 가늠하기 위해 사용하기는 어려웠다. 상대 역시 JE의 움직임에 반응하기에, 긴장과 집중 상태라면 자신이 그 자리를 점프를 이용해 짐작하는 것을 알게 마련이었다. 강력한 위화감, 점퍼가 곧 점프를 해올 것이라는 예고를 해주고 만다.

그러나 지금처럼 난전의 상황 속에서, 알아도 피할 길이 없는 구조 속에서는 쓸만하다.

최길우는 눈으로 완벽하게 보이지 않는 사이 공간의 생김새를 파악하고 그리로 넘어갔다.

*

최길우는 총을 든 채였다. 그의 전신은 방탄 갑옷으로 채워져 있다. 샷건을 맞는다고 해도, 뚫리지는 않는다. 최고 구경의 단일탄을 맞으면 위험할 지도 모르겠다. 이들이 그런 종류를 쓰는 것 같지는 않았다. 대부분의 경우에 산탄으로도 제압이 가능할 테니까 말이다.

권총을 들고, 편안하게 선 채로 그가 이동했다. 그리고 눈 앞에 보이는 한 명의 엉덩이를 쏘았다. 탕! 아악! 비명을 지르며 그가 주저 앉았다. 주저 앉으려고 하기엔, 지나치게 밀착되어 있는 사이라 무너지는 장정의 몸뚱이에 앞 뒤가 밀렸다. 최길우는 당황하지 않고 이번엔 옆으로 돌아, 옆에 서 있는 장정의 허벅다리를 쏘았다. 탕!

마찬가지로 높은 소리를 내며 발악을 한다. 최길우는 그대로 몸을 빼서 돌렸다. 뒤에는 라미노프와 첼시가 있었다. 라미노프는, 거한이었고 레슬러나 비슷한 체격을 갖고 있었다. 그가 반사적으로 움직여서 샷건을 들었다. 물론, 그들 사이에 샷건처럼 긴 물건을 제대로 들어 올릴만한 자리는 없었다. 중간에 턱 하고 넘어지는 동료의 몸뚱이에 걸렸다.

최길우는 반면 자유롭다. 몸을 주위로 약간의 반경만이 필요하다. 그 정도의 공간만 있다면 그는 연속적으로 상대를 제압할 수 있었다.

탕! 라미노프가 무언갈 하기도 전에 최길우의 속도가 빨랐다. 이런 상황을 이겨내기 위해 자동권총을 선택한 이유도 있었다.

거한의 허벅다리에 총알이 박혔다. 타당, 탕! 계속해서 공이가 탄을 때리고 화약이 폭발하며 납탄이 날아갔다. 연속된 조준 사격이었다. 라미노프는 양 허벅지에 납탄을 두 세 개 정도 박힌 다음에 신음을 흘리며 쓰러졌다. 사람이 제대로 서 있을 수 있는 충격은 아니었다. 이미 육체의 감각이 마비된 다음에 약물 따위의 힘으로 다소 움직여볼 수는 있겠다.

그렇게 허물어지는 라미노프에게 다가가며 그 뒤에 있는 첼시를 겨누었다. 첼시는 가장 뒤에 있었고, 그나마 샷건을 정상적으로 겨누어 볼 수 있는 자세였다. 최길우는 라미노프의 몸뚱이를 방패 삼아서 조준 사격을 했다. 정확히는, 쓰러지는 그를 안듯이 받으며 라미노프의 오른쪽 옆구리 너머로 총구를 내밀어 첼시를 사격했다.

타타탕! 총알이 얼마 남지 않았다. 30발들이 탄창도 이런 식으로 갈기다 보면 오래 못 간다. 첼시의 손에 한 발, 그의 허벅지에 한 발이 들어갔다. 정면에서 서너 명을 날렸고, 한 두 명은 동료의 손에 갔고, 지금 네 명을 제압했다. 남은 이들이 두 명이었다. 최길우는 라미노프의 쓰러지는 몸을 기대어 잠시 지탱시켜 두었다. 그를 등으로 받치며 뒤를 돌아 사격한다.

탕, 탕! 철컥, 철컥. 마지막 남은 탄환이었다. 그는 두 발로 사태를 인지하지 못하고 우왕좌왕 하던 이들의 어깨를 쏴서 샷건을 내려놓게 해주었다. 그들에게는 비로소 그것이 평안일 것이다.

애써서, 무거운 샷건을 들고 누군가를 겨누며 그렇게 달려들지 않아도 인생은 여전하다. 누군가를 지키기 위한 보호전이 아니라면야, 약탈따위의 일이야 언제든지 멈추어도 될 뿐이다.

말로는 쉬웠으나, 최길우가 보여준 모습을 실제로 행하는 것은 상당히 어려운 일이었다. 어렵다는 묘사 이상의 난이도가 있었다. 한 시도 상황 판단을 놓치지 않고 완벽한 움직임을 보여야 하는 일이다. 그 사이에 약간의 흐트러짐이나 겁, 긴장, 당황도 있어서는 안되고. 이제 겨우 20대 중반인 청년이 보이기에는 지나치게 놀라운 활약이었다.

'점프'라는 능력은 최길우의 머릿속에서 어느 정도 한계라는 걸 지워버렸는 지도 모른다. 이런 것도 되는 세상인데, 이 정도가 안 되겠어?

그런 식의 훈련이나 움직임이 지금의 그가 보여준 움직임을 만들어낸 걸지도 모른다.

그리고 김민서는 그 모든 걸 가만히 지켜보고 있었다. 총탄이 날아들지도 않았다. 그는 다른 의미로 점점 충격을 받았다.

198

아니, 저게 사람인가?

*

2.

"…얼추 끝났군요."

최길우는 김민서가 있는 자리로 돌아왔다. 총에 맞아서 신음하는
이들에게서 총기를 빼앗고, 한 데 모아두었다.

덜컥, 차르륵. 샷건의 탄환을 일일이 빼서 작은 가방 따위에 넣
는다. 챙겨야 할 물건이 있을 때 쓰는 작은 가죽 가방이다. 보통
옷의 품 따위에 접어서 보관하다가 사용하고는 한다.

리시버는 그렇게 상대의 무기들을 해제시키며 말을 걸었다.

'으으으…'하고 낮은 신음 소리 따위가 열차 내부를 울렸다. 총
에 팔다리를 여러 방 맞고 쓰러져 있으나 죽은 것은 아니었다. 죽
은 이도 있었지만. 최길우가 쏘아서는 아니었다.

어쨌든 확실한 건, 이대로 많은 시간이 지나면 죽을 수도 있다
는 것이었다. 지금 열차에는 한 스무 명 가까이 되는 인원들이 총
에 맞아 널브러져 있다.

다행히도 승객들은 강도들의 진압에 순응했던지, 총에 맞은 사람은 없는 듯했다. 바닥을 나뒹구는 이들은 전부다 열차 강도단의 일원들이었다.

딸그랑, 하고 쇠가 부딪히는 소리가 나며 손에 듬직한 작은 가죽가방에 탄환이 쌓였다. 한 두개가 아니라 여러 정의 샷건에서 내용물을 빼자 어느 정도 가득찼다. 리시버는 그것은 민서에게 던졌다.

휙, 하고 던지자 민서의 근처에 퍽, 하고 떨어졌다. 나름대로 무게감이 있는 물건이어서 멀리 굴러가지 않았다.

민서는 아직도 침실 내부에서 얼굴만 빼꼼히 내민 채 앞을 바라보고 있는 자세다.

그가 정신을 차린 듯 자세를 고치며 슬쩍 일어섰다. 최길우가 덤덤하게 이야기한다.

"…. 이제 열차 멈추고, 잠깐 얘기들을 할 겁니다. 강도단에 있는 점퍼를 끌어내야겠죠. 당신의 역할이 중요합니다."

김민서는 어딘가 먼 곳을 처다보는 듯한 눈동자로 고개를 끄덕였다. 눈 앞에서 그런 짓을 하는 걸 보자 영 사람처럼 보이지 않는 구석이 생겨버렸다. 저런 건 보통 훈련의 영역일까. 리시버는 김민서의 생각보다 더 특이한 삶을 살아온 듯했다.

영화에서도 보기 어려운 근접 액션을 실제 현장에서 해내다니. 의견 다툼이 생긴다면 뼈도 잘 못 추릴 것 같은 솜씨였다.

"…아, 열차를 멈춘다고요?"

사고가 잘 돌아가지 않다가 그의 말을 곱씹으며 이해를 했다.
민서가 되물었다. 최길우가 그를 슬쩍 쳐다보며 고개를 끄덕인다.

"예. 일단 기관실로 가죠. 잠깐 멈추고, 실내도 정리를 해야 할
테고… 사람들도 좀 진정할 시간이 필요하겠죠.
우리는 여기서 내릴 겁니다. 저 놈들이랑 같이. 그리고 저쪽에
있는 점퍼를 불러내서 잡아다가, 같이 복귀할 거고요. 그러면 임무
종료입니다."

최길우의 말이었다. 다소 고생을 하고 힘을 쓸 일이 눈에 보인
다. 그들은 열차에 널브러져 있는 장정들을 모두 바깥으로 끌어내
야 했다. 정신을 잃거나 그에 준하는 상태로 누워 있는 거한들을
옮기는 건 동량의 짐덩이를 옮기는 것이나 마찬가지인 일이었다.

한 명 한 명이 쉬워 보이지 않는 몸뚱이였다.

*

리시버와 김민서는 일단 앞 쪽으로 계속 움직였다. 천천히 걸어
움직이는 그들을 막는 이들은 없었다. 다만 승객들이 비명을 지르
거나, 하기는 했다. 최길우는 근접 거리에서 총을 쏴댄 탓에 여기
저기 강도들의 피가 묻어 있었다.

총을 들고 피가 묻은 복장의 남자가 앞 칸으로 걸어간다면 소란

이 일어나게 마련이었다. 그럴 때마다 최길우는 경찰 수첩처럼 보이는 것을 품에서 꺼내들어 보여주었다.

수첩을 열어 그의 사진과 신분이 적힌 면을 보여주며 움직인다. 영어로는 차분하고 기계적으로, 열차 강도가 열차를 습격해 대응했다는 말을 반복했다. 일단 사람들은 진정했다.

그들이 마음 깊이 안정감을 얻었는가는 다른 문제였지만, 적어도 일단의 설명에 조용히 하기는 한다.

김민서는 그 수첩이 진짜인 지가 조금 궁금했다. 아마 어떤 경우든, 관련한 기관에서 발행해준 것이기는 할 테였다. 이런 상황을 대비해서 점퍼 조직의 도움을 받으려고 준 신분증일 테니 말이다.

김민서는 걸으면서 궁금한 걸 물었다.

"경찰 시험을 본 겁니까?"

최길우는 저벅저벅, 별다른 말도 없이 앞으로 걸어가다가 대답했다. 김민서를 잠깐 돌아보았다.

"특채라고 해두죠."

민서는 대강 납득했다. 그야말로 영화같은 설정이었다. 특수한 작전에 도움을 얻기 위해서 공기관에서 내어주는 신분증이라니.

그들은 다소의 소란을 지나치며 기관실에 다다랐다. 기관장 역시 대강의 상황을 눈치채고 있던 모양이었다. 내부에 승무원들이 있었던 듯, 연락을 취하던 모양이다.

 강도가 나타났다는 이야기와, 그것을 처리하는 동양인 사내가 있다는 이야기까지도.

 강도의 이야기를 듣자마자 그들은 러시아 치안 당국에 신고를 했다. 열차를 운영하는 본부에도 연락을 돌렸고. 그러나 그들이 신고를 받고 이 자리까지 오기에는 꽤나 많은 시간이 걸릴 테다.

 그 동안 자신들의 안위를 위해서 그저 간절하게 기도를 하고 있을 뿐이었는데, 다행히 기관실을 밀고 들어온 건 강도가 아닌 그들을 물리쳤다는 동양인 사내였다.

 최길우는 더듬거리며 러시아 말로 조금 이야기하다가, 그냥 관두자는 식으로 영어로 이야기했다.

 "본 열차에 강도단이 습격을 해왔습니다. 저는 미리 정보를 입수하고 타고 있었던 특수 작전부에 소속된 해외 경찰이고요. 국제 경찰 기구의 요청을 받아 지원 나왔습니다."

 대강은, 맞는 이야기였다. 실제로 점퍼 조직이 하는 일도 그러한 종류였으니. 다만 그 과정에서 절차가 많이 생략되어 있기는 하다. 물론 다른 이들에게 '점퍼'의 존재에 대해서 알릴 수는 없으니 더 이상 자세한 설명을 하기도 어렵다.

 이런 급박한 상황 속에서 점퍼의 존재는 피해자나, 도움을 얻은 이들에게 조금씩 알려지게 된다. 보통 그런 경우에는 조직, 혹은 연계된 단체에서 양해를 구하며 당부를 한다.

그리고 증거를 남기지도 않기에, 대부분 극심한 트라우마가 될 만한 상황 속에서 착각이나 환각이라고 생각하는 경구가 많았다.

일단 다른 이들의 눈에 띄지 않도록 최소한의 조심 정도는 하는 편이었지만 말이다. 급박한 상황, 사람의 목숨이 걸린 판국에 사소한 것들을 신경쓰며 능력을 아낄 수도 없었다. 어지간하면 점퍼들은 현장에서 적극적으로 움직인다.

어쨌건 기관사와 그 열차 승무원들은 리시버의 말에 끄덕거리며 반응했다. 열차 외부로 강도단을 내려야 한다는 말에도 동의를 했고. 일반적인 경우라면 구속을 해서 신병을 제압해야겠지만 눈 앞에 경찰이라고 하는 자가 상황을 통제하겠다고 하니 안심을 하는 것이다.

일단 눈 앞에서 보기 어려운 것들을 치워버리고자 하는 심리도 있을 것이다.

얼마 지나지 않아 열차가 멈추었다. 기관사의 작동에 따라 서서히 속도를 늦춘 열차는 이내 완전히 관성을 잃고 선로에 섰다.

주변은 얼어붙은 땅이었다. 얼음이나, 눈이 있는 건 아니지만 기본적으로 냉랭한 대기에 흙바닥도 찬 기운이 강하다.

멀리까지 지평선이 보이는 평야 지대였다. 숲을 빠져나온지 얼마 안되는 지점이다.

멈춘 열차에서 승무원들과, 기관사와, 리시버와 김민서는 부지런히 강도들을 날랐다. 거의 죽어가는 모습이었다.

승객들의 통제에도 애를 썼다. 이미 패닉에 빠진 이들이 추가적으로 발작을 일으키는 일은 많지 않았다. 1등칸에 있는 이들이 샷건으로 널브러져 있는 강도들의 시체를 봤을 때는 소란이 있었지만.

그것들을 치우기 위해 움직였던 승무원들도 그런 꼴에는 토악질을 해댔다.

지독하고 고되며 지루한 시간이 지났다. 핏자국이나, 여러모로 엉망이 된 객실 내부를 정리하는 시간이었다.

시체나 쓰러져 있는 강도들의 부상자들을 옮기면서 승무원들은 내부의 청소도 겸했다. 꼭 해야만 하는 작업이었다. 열차 내부를 피투성이가 된 채로 둘 수는 없으니.

다행히 추가적으로 발작적인 사고는 없었다. 강도들은 서서히 피를 흘려가며 깊은 기절 상태로 들어가고 있었다. 살아 있는게 용한 꼴들이다. 최대한 빨리 작전을 마무리하고, 귀환해야 할 이유이기도 했다.

적대적인 점퍼를 상대하기 전까지 귀환으로 점프를 소모하기는 부담이 있었다. 리시버는 상대편의 점퍼를 불러내기 위한 작업을 시작해야 했다.

강도들이 쓰던 샷건은 모두 한 데 모아 탄환을 빼서 버렸다. 어떤 일이 있을지 모르니, 최대한 변수는 줄이는 게 좋다. 김민서에게 어설프게 쥐어주는 것도 부담스러운 일이었다. 초심자가 샷건 따위를 들고 있다간 십중팔구 동료를 맞추게 된다.

최길우는 최대한, 상대의 공격에만 집중을 하고 싶었다.

어느정도 뒷정리가 끝나자, 최길우는 승무원들과 기관사, 그리고 열차를 배웅했다. 한적한 시베리아의 어느 평야에서 강도들을 데리고 대체 어떻게 하겠다는 건지는 알 수 없었으나, 리시버의 자신만만한 태도에 기관사는 적당히 납득했다. 어련히 알아서 하겠지, 와 빨리 현재 상황으로부터 벗어나고 싶다는 심리였다.

최길우는 그런 그에게 간략한 상황 설명 정도는 해주었다. 나름 대로 양심을 위한 최소한의 알리바이 같은 것이었다.

이미 지원 요청을 마쳤고, 본부에서 헬기 따위로 이곳에 오기로 했으니 안심하고 가시라고. 경찰 기구에 신병을 양도하고 당국에서 마무리를 짓겠다고.

기관사는 깊은 존경과 감사를 표하며 최길우와 김민서에게 인사를 했다. 중년의, 체구가 좋은 아저씨였다. 그가 모자를 벗으며 하는 인사에 둘 역시 허리를 숙여 인사했다.

열차가 떠났다. 소란스러운 시간들이 지나간다. 열차 내부에서는 총격의 흔적이나 핏자국, 혹은 강도의 과정 중에 다쳤던 이들이 있을지 모르겠으나 서서히 회복할 것이다. 김민서가 알기로 죽은 이는 없었다.

금품을 모았던 가죽 포대 따위는 승무원들이 들고 돌아가며 주인을 찾아 주었다. 전자기기 따위의 파손을 제외하고는 그다지 큰 손실이 없었다.

멈추었던 열차가 다시 선로를 달린다. 리시버, 최길우와 김민서는 평야에서 선로 위를 지나가는 횡단 열차의 옆 면을 바라보며 자기들의 일을 시작했다.

최길우가 쓰러진 채 신음을 흘리고 있는 인간들의 무더기 속에서, 최초에 자신들을 열차 밖으로 날게 만들었던 인간을 찾았다. 강도질을 시작하는 순간에 재수가 없게 바로 해당 칸에 그들이 타고 있었다.

갑작스럽게 포위를 당한 채 충격을 당하면 답도 없고, 다른 피해자가 발생할 수도 있기 때문에 우선 최길우는 김민서를 데리고 창 밖으로 날았다.

그 시점이 김민서가 비명을 지르며 러시아 어느 곳의 허공을 날던 때다.

신체가 건장하고, 팔과 다리에 총알이 박힌 채 신음하는 리더를 찾는다. 금발의 벽안, 전형적인 백인의 모습이었다. 인상이 거칠고 오래도록 풍파에 시달린듯한 안면이었다. 그는 한기를 느끼는지 약간의 떨림이 있었다.

최길우가 미리 외워둔 러시아 말로 이야기를 했다.

"네 조직에 점퍼가 있다는 걸 알고 있다. 공간이동자 말야. 여태까지 그 녀석의 능력으로 추적을 피해 왔겠지? 이번에도 그럴 거였고. 여기로 불러. 순순히 따르면 목숨을 잃는 일은 없을 거다."

바들바들 떨면서, 나름대로 공들인 발음으로 지껄이는 걸 두목이 듣고 있었다. 그 눈동자도 흐릿한게, 정신이 오락가락 하는 것처럼 보였다. 최길우는 멱살을 잡은 채로, 이리저리 흔들며 반복해서 이야기했다.

"웬만하면 따라주면 좋겠다. 너희들을 여기서 죽게 만들거나, 혹은 푸틴 정권의 병력들에 넘겨주면 대우가 곱지는 않을 것 같은데. 잘 따라준다면, 그래도 타국의 양호한 수감 시설에 처넣어줄 수도 있거든."
"여기서 다 죽을 셈이냐? 그렇다면 마음대로 해라. 바라는대로 해주지."

리시버는 두목의 눈동자를 살피면서 계속 이야기를 했다. 회유의 여지가 있는가. 어차피 이곳에서 통하지 않는다면 일단 데리고 복귀해야 했다. 그들은 일부러 목숨을 앗는 조직은 아니었으니까. 현장 상황에 따라 사상자가 나오기도 하지만 가급적이면 생명 유지를 위해 애를 쓴다.

데려가서 응급실 따위에서 치료를 받게 해주고, 살려둔 다음에 구금해둔 채로 정보를 뱉어내게 해야 했다. 그러기 위해서는 그들 조직과 연계가 닿은 국가들 주변으로 가야 했다. 러시아 쪽과는 그리 깊은 관계가 없는 편이었다.

최길우는 얼마간 좀 더 강도단들의 동태를 살폈다. 더 시간을 끌면 위험할 수도 있을 것 같았다. 당장은 두목도 별 말을 않는 것 같다.

자리를 털고, 그냥 도약으로 이들을 옮기려고 마음을 먹었을 때였다.

"What the Xuck….."

두목이 입을 열었다. 튀어나온 건 영미권의 유명한 욕설이었다. 리시버가 다시 눈길을 주었다.

"오, 얘기할 마음이 드나? 혹시 영어를 잘 쓰나?"

두목이 힘겹게 입을 열었다.

"미친 자식들…. 대체 누군지는 모르겠지만…. 우리는 국제적인 조직이야. 이러고도 무사할 줄 아나?"

능숙한 영어 발음이었다. 리시버가 영어로 회화를 했다.

"그런 건 모르겠고. 점퍼 불러내라고. 순간이동자. 알고 있지? 그러면 당신 처지에서 최대한 인도적인 대우를 받게 해주지. 없다면 협상은 결렬이야."
"아니어도… 원래 오게 돼 있다. 내 몸에 있는 발신기가 5분 이상 한 자리에 머무르면 그 장소로 오는 걸로 되어 있…."

후욱, 하고 익숙한 소음이 들렸다. 그건, 점퍼나 혹은 점프에 휘말린 적이 있는 인간이 아니라면 느끼기 어려운 작은 소리와 위화감이다.

그러나 JE에 익숙하게 접촉해 온 이들은 실제의 소리나 감각보다 뚜렷하게 느끼기도 한다. 그건 오감을 넘어선, JE라는 비가시적인 에너지의 작용일지도 몰랐다. 그것을 매질로 점퍼들이나, 혹은 점프에 익숙한 이들의 몸에 와닿게까지 느껴지는 것이다.

최길우는 감각이 느껴지자마자 이미 몸을 날리고 있었다. 방향은 아마도 그의 뒤쪽이었다. 점프의 전조는 실제 대상이 오기까지와 아주 약간의 차이가 있었다. 그리고 상대가 미숙한 편이라면 그러고도 시야를 잃는 잠깐의 틈이 있고.

보통 미치광이가 아니라면 자신들의 동료가 있는 곳에 와서 총부터 갈기지는 않을 것이다.

리시버가 뛴 곳은 김민서가 멍청하게 서 있는 자리였다. 리시버는 엎어져서, 자신의 손에 멱살이 잡힌 채 힘겹게 이야기를 하던 두목을 놓고 그대로 왼 쪽으로 굴렀다.

김민서는 그의 왼 쪽 한 두 걸음 옆에서 멍청히 선 채 그 모습을 구경하고 있었고. 김민서의 몸에 손이 닿자마자 그들은 후욱, 하는 전조와 함께 신형이 사라졌다.

탕! 그 직전에 총성이 들렸다. 리시버가 쏜 것은 물론 아니었고, 쓰러진 강도들은 샷건이 없었다. 새롭게 나타난 인간이 갈긴 것이다. 리시버는 상대가 생각보다 미치광이같은 녀석이라고 생각하면서, 그 자리로부터 이탈했다.

황량한 북부 평야에 약 스무 명 가까이 되는 장정들의 몸뚱아리와 새롭게 나타난 인물 하나만이 남았다. 리시버와 김민서가 사라진 뒤다.

김민서와 최길우는 다시 제자리에 돌아왔다. 제자리라고 하기에는 애매했지만, 김민서는 낯익은 자리라는 걸 느꼈다.

그들이 열차에서 최초에 떨어지고 난 뒤, 허공에서 도착한 어느 침엽수림이었다. 심지어 그들이 있던 똑같은 자리였다. 땅바닥을 구른 흔적이나 얕은 발자국이 그대로 남아 있었다. 풍경도 똑같다.

똑같다기엔 숲속의 모습이라 조금 애매했지만. 적어도 자신이 땅에 누워 발버둥을 치다 만들어낸 흔적은 기억했다.

김민서가 뒤늦게 물었다.

"뭐, 뭡니까?"

느려도 한참 늦은 반응이었다. 최길우가 말했다.

"그, 한 열 번은 대가리가 날아간 다음에 놀랄 정도로 빠른 반응입니다?"

리시버의 입장에서는 맞는 말이었다. 상대의 점프가 이루어지고, 이쪽에서 점프로 피한 뒤, 도착지에 도달하고 나서도 정확한 상황을 인지하지 못하다니.

점퍼가 아니라거나, 훈련된 전투원이 아니라는 것 너머로 둔한 점이 있었다. 심지어 그는 완전히 민간인도 아니고 JE2라는 특수한 에너지를 사용하는 반쯤은, 점퍼에 가까운 존재였다.

211

일반적인 사람보다는 점프에 민감해야 했다.

"본래 성격이 둔한 편입니까? 당신을 살리면서 같이 일하기가 좀 힘들 것 같은데요."

계속되는 이죽거림에 김민서는 울컥했다. 사실, 울컥한 처지는 아니기도 하다. 그들은 총알이 빗발치는 전장에서 살아남았고 김민서는 리시버가 없다면 예전에 죽은 목숨이었다.
아니, 리시버가 아니었다면 애초에 이 곳에 오지도 않았겠지만.

"아니… 둔한 건 맞습니다. 근데 뭐에요. 갑자기 총을 든 사이코 점퍼라도 뒤로 이동해 온 겁니까? 갑자기 왜 이런…."
"잘 아네!"

의외로 정확하게 맞추는 이야기에 이번엔 리시버가 울컥해서 소리쳤다. 이 자식, 알고서 이러는 건가, 하는 마음이었다. 긴장을 하는 건지 안 하는 건지 알 수 없는 동료란 목숨을 건 작전 내에서 때로는 적보다도 위험하다.

서로를 위한 신뢰가 제대로 서 있을 때에나 간신히 넘을 수 있는게 사선이라는 것이었다.

리시버는 다시 김민서의 어깨에 손을 대었다. 그가 말한다.

"JE2, 쓸 수 있습니까?"
"아뇨 확답은…."
"무조건 써요. 그거 하라고 데려온 거니까."

아니 그러니까 오고 싶지 않았다고…라는 대답을 하기도 전에 리시버가 도약을 걸었다. 찰나의 순간에 말을 한다.

"가자마자 웅크리고 숨어요. 그리고 닥치고 정신 상태나 만들고 쓰십쇼."

리시버는 말이 제법 빨랐다. 마침표가 쓰여질 순간에 그들이 다시 사라졌다.

침엽수림에서, 시베리아의 어느 평야로.

*

광대한 거리를 넘어서, 드넓은 평야의 생김새를 만지는 건 어려운 일이었다. 점프를 통해서 말이다. 그것보다는, 그냥 안전하게 조금 더 떨어진 곳으로 이동을 했다.

한 번 가본 곳은, 대강 그 부근의 위치 데이터가 머리에 각인되는 느낌이었다. 점퍼들에게 있어서. 그 데이터를 얼마나 잘 활용하는가는 자신들의 역량에 달렸다.

얼마나 짧은 순간에 뇌 내 점프 시스템(임의로 일컫기를)에 업로딩을 하는가, 그리고 업로딩 된 맵을 얼마나 상세하게 살피고 이용하는가, 하는 것들 말이다.

리시버는 그런 분야에 있어서 최고의 기술자였다. 그는 순식간에 평야 지대에서도 그나마 유리한 고점을 잡아서 이동했다. 원래 있던 위치에서 약간 높이가 있는 지점이다.

평야라고 해도 굴곡이 있고, 둔덕이 있었다. 그는 그 얕은 둔덕 너머에 엎드리면 몸을 숨길 정도의 홈으로 도약한다.

김민서와 같이 이동하자마자 그를 쑤셔 박듯이 땅에 밀착시켰다. 머리를 짓누르는 방법으로. 최길우는 제법 힘이 셌다. 아니, 김민서가 느끼기에 아주 강했다. 그는 별로 반항도 못하고 우악스러운 손길에 납작 엎드려야 했다.

당장 총알을 피해야 했으므로, 민서 역시 동의하는 움직임이었다. 최길우가 전방을 주시하며 낮게 이야기했다.

"꽤 거리가 멉니다. 70m는 되는 거 같은데. 진짜 제대로 하십쇼. 들키지 말고. 이쪽 방향으로 끌릴 거 예상하고 싸울 테니까."

최길우는 말투가 조금 짧아지고 격해졌다. 전투 중, 실제 상황 탓이었다. 최길우의 시야에서 전방 70m즈음, 그들이 원래 있던 자리에 강도단이 여전히 있었다.

침엽수림으로 이동했다 다시 오기까지 1분이 걸리지 않았다. 도리어 한참 남는다. 아직까지 이동을 시키진 않은 것 같다. 상황을 파악하려는 걸까. 최길우로서는 다행이었다. 곧바로 점퍼가 사라졌다면 변수가 많았을 뻔했다.

먼저 상대의 위치를 파악한 최길우는 망설임없이 움직였다. 후욱, 하고 그가 사라진다. 이번에는 김민서는 그대로 둔 채다.

*

표도르 카틴은 러시아 태생의 점퍼였다. 올해로 26살인 그는 마른 체형의 사내이다. 금발의 곱슬머리에, 아래로 처진 눈에 이목구비가 뚜렷한 편이었다.

큰 키에 마른 체격. 멀대처럼 보이는 그는 팔다리 또한 길었다. 두텁지 않은 체격을 보고 잘못 건드리면, 그 긴 리치에서 나오는 타격에 쉽게 당하고 마는 솜씨를 가지고 있었다.

약간의 갈색기가 섞인 금발이었다. 눈동자 역시 갈색이었고. 가만히 있으면 어딘가 풀어진 듯 보이는 표정도 묘한 분위기를 더한다.

그는 어릴 적부터 자신의 능력을 자유롭게 사용했다. 딱히 숨기려는 생각도 하지 않았고, 가난한 동네에서 자신의 유익을 위해 마구잡이로 써왔다.

그러다가 어느 정도 몸이 컸을 무렵, 소문을 듣고 온 어느 조직에게 붙들렸다. 그는 그 조직에 자연스럽게 몸을 담았고, 이후의 삶은 어지간한 영화로 만들어도 사람이 볼 수 없을 정도로 잔혹한 삶이었다.

그는 훨씬 더 넓은 범위에서 자신의 능력을 유용했다. 이전까지는 스케일이 작은 편이었다. 제법 규모가 큰 범죄 조직의 내부에서 점프 능력을 이용하다 보니 일반적으로는 상상하기 어려운 정도로 다양한 방식의 범죄에 이용되었다.

밀실에서의 암살, 밀수, 강도, 절도… 다양한 방면에서 점프 능력을 이용해왔다. 조직은 점점 더 커졌고, 국제적인 범죄 조직과도 연이 닿게 되었다.

최근 일, 이 년 간은 한 가지 일에 주로 몰두하고 있었다. 열차 강도단을 데리고서 한 이십여 명 정도의 인원들을 시간마다 옮기는 일이다. 그의 점프 능력의 상당 부분을 사용해야 하는 작업이었다. 변수가 생길 걸 대비하고자 한다면, 실사용 부분보다 더 많은 부분을 할애해야 했다.

러시아 군대나, 경찰 당국의 시선을 지나치게 끌지 않도록 부정기적으로, 꽤나 텀을 두고 움직였다. 점프를 사용한다지만 전 방위적인 수색과 온갖 기계 전력이 투입되면 위험할 수 있었다. 점프로 이동한 곳에서 곧바로 걸려 현장 사살 될 확률도 있는 것이다.

그렇기 때문에 최대한 살인은 자제했다. 금품을 터는 것에 주안점을 두었고, 그것만으로도 제법 벌이가 되었다. 열차의 승객들은 수백 명이었고, 그들의 여행 짐을 모조리 턴다면 상당량의 금품이 된다.

그렇게 잘 작업들을 하고 있었고, 이번에도 역시 성공을 확신하고 정해진 위치로 옮겨왔다. 느낌이 이상했다.

그는 시야가 다 회복되기도 전에, 누군가 쓰러져 있다고 느끼자 손에 든 총을 갈겼다. 구경이 작은 리볼버 권총이었다. 난전에서 유용한 도구는 아니었으나 호신용이나, 상대를 제압하는 데는 충분했다. 더군다나 그는 점퍼였으니, 자신의 목숨을 부지하기에는 충분하고도 남는다.

일반적으로 인질이나 포로를 만들지 않는 강도단인데, 정해진 자리에 사람이 대거 누워있다면 분명한 변고였다. 강도단이 그렇게까지 쓰러질만한 병력이 열차 내에 상주하고 있지는 않을 테였다. 그 정도쯤 되면 손을 떼고 다른 일에 착수해야 한다.

상대가 사라지는 것 같은 감각이었다. 한 수 m는 떨어진 자리였으나, 총알에 맞는 소리가 없었다. 사람이 그렇게 빨리 사라질 수 있는가. 시야를 회복한 그가 바라본 건 참담한 광경이다.

그의 조직의 행동 대원들이 모조리 피를 흘리며 차가운 평야에 누워 있었다. 가까이 다가가서 살펴보니, 죽지는 않았다. 시체도 근처에 있는 것 같았지만.

간신히 얼굴을 분간해 두목인 첼시를 찾았다. 힘겹게 눈을 뜨는 그를 붙잡고 이야기를 하고 있는데… 뒤에서 후욱, 하는 소리와 함께 아주 익숙한 위화감이 느껴졌다.

JE의 감각이다.

이번에는 상황이 반대가 되었다. 표도르는 시야가 회복되기 전이라 인지하지 못했던 광경이었지만, 정확히 대비되는 구도였다.

최길우는 멀리서 상대의 자세와 위치를 확인하고 점프를 했다. 그와 동시에 이루어지는 사격은 그의 특기이기도 했다. 때로는, 눈으로 보는 것보다 계산이 더 정확할 때가 있었다. 수치적인 좌표 계산과 각도는 잘 틀어지지 않는다. 눈은 왜곡이 있을 때가 있다.

탕!

표도르가 했던 사격보다 한참은 빨랐다. 그렇다 해도 고작 1초, 소수점 자리의 영점 몇 초의 차이였지만 사람의 반응을 기준으로 한다면 굉장히 빨랐다.

최길우는 확장 탄창을 주로 애용한다. 총의 몸체만큼이나, 혹은 그보다 좀 더 길게 뻗어나온 탄창을 가진 자동권총. 침착하게 들고 보이지 않는 곳을 향해서, 정해진 방향과 자세로 쏘았다.

방아쇠를 당기는 중간, 혹은 완전히 당길 무렵 시야가 어렴풋하게 돌아온다. 순간의 일이었으나 약간의 준비로 타이밍을 잡는 것이 갈리게 된다. 아주 잠시의 틈으로 승자와 패자가 갈리는 것이다.

리시버의 총탄은 표도르에게 정확히 맞았다. 그는 등을 돌린 채 무릎을 꿇고 있었고, 그 비스듬한 자리에 나타난 최길우는 세워둔 무릎 근처의 다리를 노렸다. 무릎의 조금 위 허벅지를 맞은 그가 신음을 흘렸다. "윽!"하는 소리와 함께 그대로 쓰러졌다.

총에 맞은 다음에도 침착하게 움직이며 반격을 하는 전사의 모습은 보통 영화적 상상력일 경우가 많았다. 실제로 그럴 수도 있겠으나, 그건 극히 드문 초인적인 능력을 발휘하는 장면일 것이다.

대부분의 현실에서 사람은 한 발의 총알로 불능이 되고 만다.

표도르는 대부분의 경우보다, 조금은 터프한 편이긴 했다.

"이런 망할⋯."

러시아 어로 욕설을 지껄이며 그가 바닥에 나뒹굴면서도 뒤를 처다보았다. 제대로 몸을 가누지 못하면서도 손에 든 리볼버를 놓치지 않았다. 차가운 대지와 풀, 흙부스러기가 그의 움직임에 걸린다. 그런 걸 느낄 정도로 한가한 상태는 아니었지만.

탕! 하고 뒤로 누운 자세로 그가 리볼버의 방아쇠를 당겼다. 최길우에게 맞지는 않았다. 그가 총구를 겨누려 할 때 쯤 이미 리시버는 도약을 시도하고 있었다. 방아쇠를 당겼을 때는 이미 사라진 뒤다.

최길우는 표도르가 누운 자리, 왼쪽에 선 채로 나타났다. 표도르는 러시아 강도단이 쓰러진 곳 바로 앞에, 오른 손으로는 리볼버를 들고 그대로 땅에 누운 채였다. 표도르의 팔이 움직이기 전에 최길우가 빨랐다.

최길우는 나타나면서 그대로 중력 방향대로 주저 앉으며 몸으로 그를 덮었다. 미리 계산한 상황대로 움직였고, 움직임 중간에 그가 시야를 회복했다. 제대로 표도르의 팔이 있는 곳에 그의 손이 가 있었다.

그대로 최길우는 표도르의 손목을 잡아 돌리지 못하게 했다. 무릎으로 찍듯이 다른 팔과 목을 눌렀다. 무게를 실어 몸을 눌렀고, 힘을 주어서 리볼버를 놓게 만들었다. 표도르 역시 총을 놓으려고 하지는 않았으나 멀쩡한 상태의 리시버의 힘을 당할 수는 없었다.

둘의 체급은 비슷한 편이었고, 근력이나 체력을 수치로 따지자면 최길우가 한참은 앞서는 쪽이었다. 평소에 얼마나 물리적인 단련을 반복하는가의 문제였다. 표도르는 점퍼였지만 특별히 전사나, 전투원은 아니었다.

최길우는 온갖 세계의 험지와 난관 속에서 자신의 팔로 살아남아야 하는 입장이었고. 자의적으로 전쟁터에 들어가는 자와, 타의로 그 삶을 선택하는 자의 차이라고 볼 수도 있었다. 최길우는 삶의 대부분의 시간을 살아남기 위해 준비하는데 사용한다. 그 준비는 대부분, 물리적인 단련이 상당한 비율을 차지했고.

덜그럭거리는 쇳덩이가 놓여졌다. 리볼버의 얘기였다. 표도르는 무장 해제된 상태로 땅바닥에 뉘여졌다. 허벅다리의 총상은 작은 상처가 아니었다. 몸이 부들부들 떨리면서 피가 새어나왔다. 총알은 그대로 허벅지의 한 구간을 관통해서 지나갔다. 이대로 두면 죽기까지 한다. 보통 팔다리의 상처로 인한 죽음은 쇼크나 실혈로 인한 경우일 테였다.

최길우가, 주머니에서 무언가를 꺼냈다. 재킷의 겉 주머니에 들어있던 것이다. 재킷의 주머니는 깊어서 격하게 움직이는 와중에도 잘 떨어지지 않는 구조다. 그 안에서 그가 꺼내든 건 작은 병모양의 스프레이였다.

내부에는 찰랑이는 액체가 들어 있었다. 간편한 도구다. 특히, 점퍼를 구속해야 할 때 이만큼 유용한 녀석이 없었다.

치익-. 하고 작은 향수만한 그것을 표도르의 안면에 잔뜩 분사했다. 물론 향수는 아니었다. 호흡기로 들이마시면 얼마 가지 않아서 기절하게 되는 수면제, 혹은 마취제의 종류였지.

액체를 분사하며 최길우는 고개를 돌리고 숨을 멈추었다. 얼마 걸리지 않아 표도르가 정신을 잃었다. 그는 반응이 없는 그의 몸뚱이를 몇 번 툭툭 건드리고, 그대로 점프를 했다.

목적지는 기지였다. 일단 점퍼를 거기다 놓아두고, 치료를 하던 뭘 하던 하면서 정보를 좀 뽑아내야 했다. 나머지 자들은 일단 다른 곳의 병원으로 간다. 병상이 넉넉한 서구권의 대형 병원 어디라도 좋았다. 그들이 주로 이용하는 단체와 협약 관계인 곳으로 말이다.

일단 죽게 둘 수는 없었다. 거의 간당간당한 지경인 것 같았지만 말이다.

후욱, 하고 최길우가 사라졌다. 그가 손을 얹은 표도르와 함께였다.

민서는 그 동안 구릉의 뒤편에 엎드려 있었다. 총성이 나는 것까지는 들었으나 상황을 짐작하기 어려웠다. 다소의 용기를 끌어올려 고개를 빼꼼히 들었을 때는 모든 교전이 끝난 상황이었다. 교전이라고 할 만한 것도 없었다. 그의 능력이 심지어 발휘될 것도 없었다.

물론, 점퍼라고 모두 점프를 사용하는 건 아니었다. 인지하기 전에 제압에 성공한다면 보통 그렇게 된다. 노련하며 전투를 많이 겪어 온 점퍼의 경우에는, 총상을 입고도 익숙하게 점프를 실행하지만 표도르의 경우에는 아니었다. 그는 총에 맞은 순간부터 패닉 상태에 빠졌다.

제대로 점프를 할 능력이 없었다. 그가 약간 더 터프했다면 민서의 능력이 실전에서 쓰일 기회였을지도 모른다.

표도르 또한 일반적인 것보단 훨씬 거칠고 고통에 익숙한 사내였지만, 그것만으로 최길우에게 대응하기에는 어려웠다. 점퍼는 점프의 능력을 제외하고, 나머지 것들은 순수하게 그들이 쌓아올려야 하는 부분들이었다. 점퍼는 초인이 아니었고, 조직의 초인처럼 보이는 이들은 극도로 단련된 인간에 불과했다.

민서가 지금부터 훈련을 받는다고 해도 그들처럼 되기는 어려워 보였지만 말이다.

"큼…."

제대로 나오지 않는 목을 가다듬으며 신음처럼 소리를 냈다. 칼칼한 목이다. 얼마 전부터 격전 속에서 한 것은 없지만, 그 안에서 견디어 내느라고 고생을 한 몸뚱아리다. 잔뜩 긴장을 했다가 풀어졌다를 반복하며 온 몸이 쑤시는 것도 같았다.

애초에 열차에서 시작된 갑작스러운 상황의 초반이 다짜고짜 계곡 아래로 다이빙을 하는 것이었으니 말이다. 그것도 줄도 없이.

점퍼라는 특이 능력자들 곁에 있다지만 자기의 몸뚱아리로 하기에는 어려운 결정들이었다.

민서가 목을 가다듬으며 내밀었을 때 본 장면은 이미 리시버가 표도르를 데리고 사라진 후였다. 그만큼 얼마 걸리지 않았다. 만약에 만약을 대비했지만, 생각보다 싱겁게 끝나버린 임무였다.

물론 민서로서는 조금 더 싱거웠으면 좋겠다, 는 입장이었지만.

민서가 널브러진 채 신음을 흘리고 있을 러시아 장정들의 무리에게로 다가갈까, 하던 차였다. 하늘은 푸르렀다. 시베리아의 하늘은 한국과 마찬가지였다. 비록 기온은 한국의 여름보다 훨씬 차가웠고, 대지 또한 황량한 느낌이 있었지만은.

후욱, 하는 익숙한 위화감과 함께 뒤편에서 누군가 말을 걸었다. 민서는 놀라지 않았다. 이제 놀라기에는 너무나 많이 겪은 구도였기에 그렇다.

"끝났습니다. 일단 기지로 돌아가죠. 먼저 가 계세요."

턱, 하고 엉거주춤 상체를 세우려던 그의 뒤에서 손을 대는 기척이 있었다. 최길우의 목소리였다. 민서는 차마 뒤를 돌아보고 대답을 하기도 전이었다.

"억, 예. 알겠…"

후욱, 하는 소리. 그대로 사라지는 시야는 기시감을 유발한다. 잠깐의 순간 다음에, 그가 눈을 뜬 곳은 익숙한 기지의 점프 포인트였다.

그가 홍인수와 함께 처음으로 본 기지의 하얀 방, 내부였다.

***

열차 강도를 반복했던 범죄 조직의 사건은 일단락 되었다.

점퍼가 아닌 이들의 처리나 신문은 그에 걸맞는 전문가들이 있었기에, 다른 협력 단체에 넘겼다. 협력 단체라 함은 물론, 각국의 경찰 기관들이었다. 명목상 국제 경찰 기구의 지원을 받고 움직인 것으로 되었기에, 유럽의 경찰 기구 쪽으로 넘겨서 그들의 처분을 완료했다.

그들은 러시아 내에서만 활동하는 이들은 아니었다. 강도단의 두목이 말했듯이 몸통이 큰 조직이었고, 세계 각국의 이권을 쥐고 있는 거대한 범죄 무리의 말단이었다.

개중에 '점퍼'는 특별하게 쓰이는 말 같은 것이었는데, 이번에 조직에서 그 신병을 인수했으니 범죄 조직의 활동이 다소 위축될 가능성이 있었다.

범죄 조직의 점퍼, 표도르는 조직의 기지 내에서 쉬지 않고 꼬박 이틀간을 내리 신문을 받았다. 어떤 이라도 지칠만한 연속적인 정신 고문이었다. 재우지도 않고, 딱히 먹이지도 않고. 치료를 마친 뒤에 물과 필요한 영양분만을 공급했다.

전문 닥터가 옆에 붙어서 상세를 살피면서 한 신문이었다. 주로, 표도르가 있는 방 너머의 유리창에서 그를 바라보며 한 진료였지만 말이다. 어지간한 첨단 기기들은 굳이 그가 있는 곳까지 가지 않아도 신체적 세부 데이터를 얻어낼 수 있게 했다.

현대 의학적으로 간당간당한 줄타기를 하면서 뽑아낸 표도르의 정보들은 나름대로 양질의 것들이었다. 그의 신분에 관한 것이나, 살아온 삶, 조직의 구조 따위를 알아내어 국제 경찰 기구에 넘겼다. 대대적인 일 따위는 이제 그들이 대부분 해줄 것이었다.

점퍼는, 점퍼가 아니면 안되는 극한의 상황들에 우선적으로 투입되게 마련이었다.

벌어졌던 열차 강도 사건 역시 그런 것 중 하나였다. 상대 범죄자 무리 중에 점퍼가 있다는 가능성 높은 추측이 있었으니 말이다.

이후 신문이 끝나고 표도르는 전자 구속구를 차고 점퍼들의 유배지로 보내졌다. 태평양 어디 즈음, 무인도에 만들어 놓은 감옥이다. 각국의 협조와 지원을 모아 받아서 만들어졌고, 해당 장소에서 벗어난다면 차고 있는 구속구에서 전류나 폭발이 일어난다.

손이나 발목을 잃어버릴 생각을 하면 벗어날 수도 있겠으나. 그러고 나서 적절한 치료를 제 때에 받지 못한다면 목숨이 위험할 수 있었다. 여태까지는 그래도 도주율이 낮은 편이었다. 점퍼 감옥의 수감자들은. 나름대로, 그들의 편의를 봐주기 위해서 애쓰는 것도 있었고 말이다.

가능하다면, 점프라는 능력을 가진 이들을 제대로 교화시켜서 세상에 이로운 쪽으로 써먹으려고 하는 게, 조직의 방향성이었다. 굳이 범죄자들을 잡아두는 데에도 많은 물자가 필요하고 세상엔 늘 일거리가 많았으니 말이다.

강렬한 전류를 흘리는 구속구와, 감시와 추적이 가능한 점퍼들의 대동 후에 점퍼가 필요한 일에 간혹 사용되기도 한다. 수감자들의 능력이 말이다. 자주 있는 일은 아니었지만, 주로 '무버'가 조직 내에 공석이고, 상당량의 물자를 점프로 옮겨야 할 때 생각해볼 법한 방안이었다.

*

"후우."

민서는 스위스의 어느 야산에서 연습을 하고 있었다.

경치가 좋은 곳이었다. 이런 곳에 아무도 없고, 그 혼자 광경을 즐길 수 있다는 것이 특권으로 느껴질만큼.

푸른 하늘과 그 아래 선명하게 빛나는 녹빛의 산과, 흐르는 계곡. 가파른 경사였지만 걸어서 충분히 오를 수 있고 야유회라도 즐길 수 있는 분위기의 장소였다.

인적이 드문 장소라서, 종종 홍인수나 몇몇 점퍼들이 기지를 방문했다가 쉬기 위해 들르는 포인트이기도 했다.

시간은 한낮이었다. 한국의 시간으로는 저녁, 어스름한 때. 평소에는 한국 시간으로 낮이며, 스위스에서 새벽 무렵을 보내는 게 일상이었지만 오늘은 추가적으로 시간을 보내고 있었다.

애초에 아르바이트도 관두었고, 수당도 넉넉하게 챙겨주고 있었다. 자유롭게 사용할 수 있는 여가 시간이 늘어났고, 민서 스스로에게도 무언가 성취를 보인다는 건 집중해볼만한 일이었다. 여러모로, 아무것도 하지 않는 인생보다는 무엇에라도 집중을 하는 것이 그 스스로에게 나은 일이었다.

요령은 늘 비슷하다. 과부하를 걸듯이 정신적인 스트레스를 유발한다. 편향적인 상태가 되고 나면, 그 다음에 탈력감을 느끼는 지점으로 유도하기가 편하다.

멍 때리기는, 사실은 고도의 집중 상태였다. 다른 것들에 신경을 쓰지 않는 상태. 어쩌면 힘없이 떨어져 버린 자신의 삶을 다시 붙잡고자 하는 의지일지도 모른다. 늘 그저 그런 듯, 물에 물 탄 듯 살아온 생활 속에서 활력을 찾고자 하는 걸지도 모른다.

자신의 삶의 앞 길에 대해서 계획을 꾸민다고도 할 수 있었다. 모든 걸 포기한 것처럼 멍한 표정으로 살면서, 주어지는 상황들에 흩어진 정신머리를 조금 붙잡는 건지도 모른다.

어쨌든 중요한 건 집중이었다. 무언가 새로운 일을 하기 위해서는 그것이 필요했다.

의지의 문제인지, 무엇의 문제인지.

눈에 보이지는 않지만 JE2라는 능력은 제대로 기동을 했다. 그것이 영향을 미치는 대상은 민서 자신이 아니라 외부에 있는 점퍼들이었기에 가늠하기가 어려운 부분이었지만. 대략적인 감은 있었다. 어느 정도가 축적이 되었다, 하는.

근처에는 야가미 소우타가 있었다.

그는 '점퍼' 조직에서느 중견 정도의 위치가 되는 요원이었다. 어느덧 20대의 시절을 넘어서 30대의 시절을 지나고 있었고… 조직 내에서 많은 일들을 겪었다.

그리고 때로는 이렇게, 한직과도 비슷한 처지로 내몰려서 경치를 구경하는 일도 맡게 된다.

그는 얇은 윈드 브레이커를 겉옷으로 걸치고 풀밭에 누워 있었다. 적당히 경사가 져서, 그대로 팔짱을 뒷머리에 대고 눕자 하늘을 구경하기가 좋았다. 흐르는 구름 따라 시간이 흐르는 것이, 그의 고단한 조직 생활 중에 고마운 휴식 시간이었다.

사실 홍인수나 최길우같은, 근접 전투 요원들에 비한다면야 조금 밀도가 낮은 생활을 보내고 있기는 하다. 그는 비교적 뒷자리에서, 기지를 지키거나 거점을 방어하거나, 백업을 맡거나, 가끔은 사무직이나 행정직에 불려가 일을 하기도 한다.

그래도 그런 대타가 가능한 업무들을 하기에 더욱 바쁜 점도 있었다. 근접 전투 요원의 경우에는 강도 높은 임무 후에 반드시 휴식 시간이 주어지지만 그에게는 그런 것들이 없었으니 말이다.

이렇게 괜찮은 처지에서 업무 시간을 날려 보내고 있는 건 참 드문 일이었다. 스위스의 풍광은 아름답다. 야가미는 탈색을 하고 살짝 브라운 계열의 색으로 멋을 낸 더벅머리를 하고 있었다. 더벅머리라고 하기에는, 나름대로 센스를 발휘해서 꾸미고 다니는 것 같았지만 남들이 잘 알아주는 편은 아니다.

그는 콧대가 날렵한 사내였고, 깔끔한 외모로 인기가 좋을 듯한 남성이다. 키는 약 178 정도에 수족도 긴 편이었고.

적당히 깔끔한 면바지를 입고 풀밭에 누운 채다. 이곳에서 그가 하는 일이라고는, '재머Jammer', 김민서를 지켜보다가 일정과 그의 의사에 따라서 옮겨주는 일, 그리고 일정 시간 마다 점프를 발현하는 일 뿐이었다.

팔짱을 풀어 전자 손목시계를 슬쩍 확인한 그는 시간이 되었음을 알았다. 민서가 사인을 주면, 그때부터 1분 단위로 정해진 위치에 이동을 하면 되는 일이었다.

민서는 경사가 진 산의 언덕에 위쪽에서 다리를 접고 앉아 있었다. 그는 한 2, 30m는 떨어진 아래 쪽에서 여유롭게 누워있었고, 시간 초가 지나 정해진 분이 될 때마다 점프를 한다.

계속되는 건 아니었고, 민서가 언덕 위쪽에서 자신의 이름을 부를 때로부터 몇 분 정도만 하면 된다.

일반적으로는 언덕의 아래쪽, 계곡물이 흐르는 지점까지로 정해두었다. 맨 아래는 의사 소통이 잘 안되고 얼굴을 분간하기가 어려운 정도의 거리였다. 거기까지로 이동을 하면, 보통 재머의 능력에 의해 도착지에서 직선거리로 재머에게 가깝게 이동이 되었다.

점프의 오류나, 왜곡이라고 할만했다. 분명히 정상적으로 발동이 되었고 다른 결과가 나올 리가 없었는데도 그렇게 되는 걸 보면

야가미로서도 신기했다. 보통 점퍼로서 이런 종류의 일을 겪는 건 경험할 수 없는 일이었다. 그 자신의 문제로 오차나 실수가 있을 수는 있다. 아주 드물게지만, 간혹 점프라는 행위 자체에 익숙하지 않은 초보자들은 비교적 자주 겪기도 한다.

그러나 어느 정도 익숙해진 이후에, 곧 20대 이후의 점퍼들 중에 이런 일을 겪는 사람은 많지 않았다. 정확한 점프를 구사하는 사람들은, 수만 번의 점프를 하면서 단 한 번의 오차가 있을까 말까한 이도 있었다.

그런데 이토록 확실하고 뚜렷하게, m 단위의 오차가 생기는 건 색다른 경험이었다. 그리고 김민서, 재머의 능력의 가능성에 대해서 그 때 마다 다시금 생각하게 되는 계기였고 말이다.

비단 연구자들이나 조직의 계획자들만이 아니라, 실무에서 일하는 이들도 그 가능성을 파악할 수 있었다. 이런 손도 대지 않는 광범위한 재밍을 자유자재로 할 수 있다면 점퍼전에서 조직은 압도적인 우위를 점할 수 있을 테였다. 아예 먼 거리로 도망가는 추적전이 아니라, 근접의 난전에서 벌어진다면 상대는 조금의 적응도 하지 못하고 곧바로 제압될 가능성이 컸다.

그러기 위해, '민서'에 대한 보호의 필요성 역시 커지게 된다. 손 쓸 길이 없는 치트키같은 영향력을 가진 유닛이 있다면, 대부분의 전투에서 그 유닛이 최우선 공격 대상이 될 테니까 말이다. 어쩌면 지휘관보다도 더 말이다.

후욱, 하고 야가미는 누운 자세 그대로 도약을 시도했다. 약속된 장소로의 이동이었다. 물가 근처의 미리 자리를 봐 둔 곳이었다.

그대로 누워 있어도 될만한 푹신한 곳이다.

한참은 떨어진 곳이었는데, 야가미가 정작 도착한 곳은 애초에 그가 누워 있었던 자리에서 그리 멀어지지 않은 장소였다. 분 단위로 누적이 될수록 계속해서 오차 범위가 늘어나고 있었다. 만약 재머의 능력이 축적되는 것에 물리적인 한계가 없다면, 그는 이론적으로 온 세계에 있는 모든 점퍼들을 불러 모을 수 있을 지도 몰랐다. 야가미는 문득 그런 상상을 했다.

민서는 그대로 4분을 넘는 시간을 기록했다. 야가미는 민서의 수신호에 따라 점프의 간격을 바꾼다. 처음 집중을 시작한다, JE2를 사용한다, 고 하면 분 단위로 가다가 그가 다시 한 번 손을 들면 10초 단위로 하기 시작한다. 한 번 더 들면, 초 단위로 하기 시작하고.

이런 기록도 하루에 여러 번 하기는 어려웠다. 한 번 할 때마다 열 번을 넘게 점프의 횟수를 잡아먹으니. 그들이 돌아가고, 하루에 비상시를 위해서 남겨 두어야 할 도약 한계를 생각하면 그리 긴 시간 야가미가 그를 보좌하기는 어렵다.

그래서 민서가 모든 집중 상태일 때 야가미를 통해 실제 거리를 재보는 것은 아니었다. 어느 정도 발전이나 소득이 있다고 생각될 때, 그를 통해서 거리를 기록한다.

어느덧 그들이 이 산비탈, 풀밭에 누워서 하늘의 구름들이 그리는 그림을 구경한 지도 두 세 시간이 넘었다. 야가미는 이것이 아마 마지막 기록이라고 생각했다. 그의 도약 한계도 시간을 생각해 보면, 절반 정도는 남겨두는 것이 현명했다.

당장 오늘 내에 외부 임무는 없었지만, 언제 어떤 비상이 터질지 모르는 조직의 특성 상 얼마간은 남겨두는 것이 현명했다. '점퍼'는 본질적으로 순간이동의 능력이 없으면 일반적인 사람과 다를 바 없는 존재들이었다. 그들이 대부분의 난관들을 해결하기 위해서는, 능력의 사용이 거의 필수적이다. 손에 쥔 카드를 내려놓는 건 점퍼로서 하기 어려운 일 중 하나였다.

대부분의 점퍼들은 극한의 상황이 오지 않는다면 도약 횟수를 하루가 다 가기 전에 소모하는 일이 없었다. 보통 도약 횟수는, 자신이 사는 곳의 시간을 기준으로 자정이 되면 재충전이 된다. 자신이 '사는 곳'이란, 자신이 점퍼로서의 능력을 처음으로 깨달았을 때의 장소를 말한다. 대부분의 점퍼들은 자신의 정서적 고향인 사춘기 시절의 고향을 점퍼로서의 시간으로 사용한다.

야가미 역시 일본에서 쭉 살아온 일본인이었다. 나름대로 많은 교육을 받았고 커오면서 여러 나라들을 전전했지만 사춘기 시절을 보낸 것은 일본의 도쿄이다. 그가 점퍼로서 늘 염두에 두고 재충전 포인트를 재고 있는 시간도 일본의 시간이었고, 한국의 시간과도 같기에 대부분의 한국 점퍼와 충전 시간이 같았다.

보통 이를 이용해서 점퍼로서 근무를 설 때 나라별로 번갈아가며 서기도 한다. 이런 도약 한계 횟수를 잘 신경 쓰지 않고 24시간을 풀타임으로 돌아다니는 이들은, 보통 그 한계 횟수가 180이상이 되는 점퍼들이었다. JE의 보유량이 다른 점퍼들에 비해 높은 자들.

그런 이들이 직접 전투 요원으로서 현장에서 많이 돌아다니게 된다.

야가미의 한계는 143이었다. 도약 한계는 후천적인 훈련이나 시간에 따라서 다소 늘어나기도 하고, 약간 감소할 수도 있었다. 꾸준히 점프를 사용하고 이렇게 생활한다면, 아마 150까지도 바라볼 수 있지 않을까 싶었다.

JE는 호응하는 성질이 있었기에, 그것에 자주 접하고 사용하며 점퍼들과 있다면 대개 시간에 따라 늘어나는 우상향 곡선을 그렸다. 보통은 점프를 처음 각성할 때 소유하는 보유량에서 크게 늘어나지는 않는다. 점프를 가장 활발하게 사용하는 청년기를 통털어서 수 회에서 십 수회 정도. 극적인 상승을 기대하는 이들은 없었다.

그런 점에서 민서, 의 능력이 더욱 빛을 발하기도 한다. JE2라고 명명된 가상의 에너지는, JE와 달리 그 축적이나 사용에 별다른 한계가 없어 보였으니 말이다. 24시간 점퍼에 관해서 영향력을 발휘할 수 있다는 게 무엇보다도 큰 강점이었다.

야가미는 십 초마다 점프를 반복했다. 그리고 4분 40초가 지나는 순간, 민서가 손을 들었다. 멀리서 그의 행태를 지켜보던 야가미는 초 단위로 점프를 한다.

4분 43초에서 기록이 끊어졌다. 시간적으로 보더라도 괄목할만한 변화였다. ME라고 연구소원들이 적당히 부르는 역장의 범위 역시 민서의 집중 상태에 따라 늘어나는 듯했다. 야가미가 대강 파악하는 범위만 하더라도 반경 2-300m 수준이었다.

이 정도 규모의 에너지인 JE2가 한 대상에게 집중적으로 발휘될 수 있다면 그 시점이 바로 살아 있는 점프 재밍 장치의 탄생일 테였다. 야가미는 누구보다 그것을 기다렸다. 조직에 구류된 인원들의 어깨에 손을 대고 몇날 며칠이고 생활하는 짓거리는 지긋지긋했다.

조직의 임무이기에 감당하고는 있지만, 편한 방법이 발견된다면 누구보다도 빨리 갈아타고 싶은 심정이었다.

"끝입니까?"

마지막으로 민서가 종료가 되었다는 수신호를 보냈다. 가볍게 주먹을 쥐고 손을 들어 올린다. 산 비탈의 위쪽에 앉아 꼼짝도 않고 있던 민서가 고개를 돌렸다. 청바지에 가벼운 셔츠 차림이다.

야가미가 조금 아래에서 물었고 민서가 답했다.

"예. 일단 돌아가죠. 조금 쉬었다가… 저녁에는 그냥 같이 있어주시기만 해도 될 것 같습니다."

김민서는 가진 바 능력으로 인해, 나름대로 조직의 주요한 보호 대상 중 하나가 된 처지였다. 그가 외딴 곳에 움직일 때는 보통 이런 식으로 점퍼들이 붙어서 그 이동을 도왔다.

민서는 부담스럽다는 생각을 하면서도, 한편으로는 조금 편리하다고 느꼈다.

"좋죠. 이런 한직이 또 어디있습니까."

야가미는 능숙한 한국말로 답했다. 그가 천천히 산비탈을 올라 민서에게 다가섰고, 민서 역시 일어섰다. 그가 가볍게 팔을 터치하면서 단체 도약을 했다.

*

여름은 더웠다.

6월이 어느덧 지나가고 있었다.

여름, 개중에서도 한국의 여름은 꽤나 무더운 편이었다. 뚜렷한 4계절을 지닌 나라의 특징이었다. 어느새인가 부터 4계절도 사라지고 기후 변화로 여름과 겨울만이 남는 느낌이라지만… 어쨌든 여름은 더웠다. 민서는 계절감을 확실하게 느끼고 있었다

"…덥군요."

서울 어느 공원의 벤치에 앉아 있는 처지였다. 홍인수와 같이.

그는 여름날이라고 양복 정장은 어디론가 치워버린 채였다. 얇은 베이지색 면바지에 칼라 티Collar T-shirt를 입고 있다. 고급스러운 느낌이 드는, 약간 푸른빛이 감도는 티셔츠였다. 어딘가의 디자이너가 만들기라도 한 건지 그 마감이 깔끔하고 괜히 귀티가 나는 듯하다. 단순히 훤칠한 외모의 그가 입어서 그런 것 같지만도 않았다.

민서는 자주 입는 청바지에 반팔 티를 입고 벤치에 늘어지듯 등을 기대었다. 홍인수는 마침 근처에 있던 자판기에서 음료수를 뽑아서 오는 길이다. 그가 걸어오며 민서에게 하나를 던졌다. 나름대로 시원한 포카리 스웨트 캔이었다.

휙, 하고 날아오는 것을 민서가 능숙하게 받았다. 그걸 보며 홍인수가 입을 연다.

"그러게요. 어디 실내에서 볼 걸 그랬습니다."
"아니 뭐… 그래도 늘 기지에 처박혀 있는 것보다는 바깥 구경도 좀 하는게 낫죠."
"저는 당신과 달리 외부 임무를 주로 맡고 있긴 합니다."
"여유롭게 즐길 때는 없을 거 아닙니까."

김민서가 지지 않고 이야기를 이었다. 보통 홍인수와 그가 만나는 것은 기지에서의 일이었다. 그게 아니면 특별한 일이 있을 때 다른 장소를 찾기도 하지만.

오늘은 평일이었고, 늘 있는 주말 간의 훈련이 있는 날은 아니다. 연구소에서의 실험이나 재밍 훈련도 미루고 따로 시간을 내서 밖에서 만나는 참이다.

홍인수가 말했다.

"태국 여성은 관심 없습니까?"

민서는 뜬금없는 말에 더위도 잊은 채 눈을 동그랗게 뜨고 받았다.

"…그게 뭔…. 이성적으로 말입니까?" 홍인수가 고개를 끄덕인다. "여자친구가 있는지 먼저 물어봐야 하는 거 아니고요?"

홍인수가 낄낄거리며 말한다. 그 역시 포카리스웨트 캔을 들고 있었다. 딱, 하고 캔을 따면서.

"없는 건 이미 알고 있습니다. 앞으로 의향이 있냐는거지."

민서는 고개를 절레절레 저었다.

"어… 젠장. 일단 말이 안 통하는 건 좀 빡세군요. 한국인 여성은 없는 겁니까. 영어도 안되는 판국에."

마침 잘 됐습니다, 라고 홍인수가 중얼거렸다. 그는 포카리스웨트를 마시면서 다른 손의 손가락을 까딱거렸다. 늘어뜨린 왼손에는 작은 발신기가 있었다. 크기에 비해 서울 전역을 커버할 만큼 고성능의 장치였다. 버튼을 누르면 하나의 짝 기계에 신호가 가는 물건이다. 검고, 삐삐처럼 생겼다.

그가 그것을 슬쩍 누르자 정해진 수신기에 알람이 간다. 좌표 데이터도 길게 떴고. 수신기를 가지고 있던 이는 반사적으로 도약을 했다. '점퍼'였다. 여성이었고, 가녀린 체구에 까무잡잡한 얼굴을 지녔다.

후욱, 하는 민서나 홍인수에게는 뚜렷하게 느껴지는 기이한 감각이 먼저 있었다. 그 다음에 곧바로 한 여성의 신형이 나타난다. 그들이 있는 공원의 자리는 인적이 없었다. 외딴 곳이었고, 주변은 나무로 가려져서 멀리서 잘 보이지 않는다. 고층 건물 따위도 근처에 없었고. 그렇기에 그들이 선택한 곳이다.

서울 어딘가의 옥상에 있다가 공원으로 온 이는 머리를 어깨 즈음까지 기른 동남아 계열의 여성이었다. 민서는 그녀를 보고 홍인수를 쳐다 보았다. 늘 그가 새로운 인간을 소개 시켜 줄 때는 나름의 설명을 곁들였기 때문이다. 그리고 뭣보다, 동남아 계열의 언어는 하나도 모른다. 심지어는 영어도 말하기는 부자유스러운 솜씨였다.

작은 체구의 여성, 옌 쩻 티아마가 입을 열었다. 그녀는 여름 날에 어울리는 원피스에 위로 얇은 셔츠를 걸친 채다.

"어… 없습니다, 근처는."

다소 어색한 말투였다. 물론 발음이나, 무엇이든 알아듣기에는 충분했다. 한국인처럼 느껴지지 않는 것 뿐이었지.

그녀가 없다고 한 건 홍인수를 보고 한 말이었다. 그녀는 오늘 수색을 위해 이들과 함께 했다. 옌의 머릿속에 있는 건, 자신이 들고 있는 수신 장치가 신호를 보내오면 동시에 뜨는 위치로 도약하는 것. 그리고 하자마자 자신의 감지 반경 내에 있는 점퍼나 JE 에너지의 유동이 느껴지는지 확인하고 홍인수에게 보고하는 것.

하는 일 자체는 이전에 자주 행해본 것이었다. 그녀의 리더가 '윤민혁'이라는 한국인이었을 때도 말이다. 일정한 팀을 두고 시간별로 세계적인 대도시들을 수색한다. 그녀가 감지 가능한 범위인 반경 2-3km를 원으로 두고 수색 범위에 허점이 없도록 하며 도시의 전 지역을 돌아다닌다.

의외로 사막에서 모래 바늘 찾기와 같은 일처럼 보이지만, 고작 몇 달 만에 몇 명의 점퍼들을 찾아내고 회유하는 데 성공한 방법이었다. 어느 정도 나이가 들고, 신체적 정신적 자유를 맞이한 나이대의 점퍼들은 점프를 사용하는데 거침이 없었기 때문이다. 하루에 백 회가 넘는 순간이동의 기회가 주어진다면, 사람들의 눈에 띄지 않는 곳에서라면 마음껏 이용하는 경우들이 더러 있었다.

일탈을 즐기는 이라면 그 나름대로, 혹은 규칙적인 삶을 살아가는 이라면 그 나름대로 말이다.

돈을 내지 않고 여행을 다니고 싶다거나, 교통비를 아끼고 싶다거나. 그런 단순한 이유들로 점퍼들은 점프를 사용하고는 했다. 의외로, 눈에는 보이지 않으나 세계적 메트로폴리스나 이름 높은 관광지들 따위는 점퍼들이 많이 유동하는 장소들이었다. 당장 홍인수도, 자신에게 조직이라는 사명이 없었다면 적당히 여행이나 다니면서 지냈을 지도 모른다.

1차원적으로 순간이동은 그런 능력이었으니 말이다.

조금 연차가 오래 되어서 '조직'같은 단체의 정체를 아는 이들, 혹은 점퍼로서의 능력을 교묘히 숨기려 하는 이들을 찾기는 어렵겠지만 천방지축 날뛰는 젊은 이들을 낚아 채기에는 좋은 방법이었다. 옌만 하더라도, 대강 비슷한 연유로 윤민혁에게 발견되고 스카웃 된 처지였고 말이다.

그래서 시간대별로 하나의 도시를 집중적으로 돈다. 하루에 수백

회. 점프를 이용하면 옌의 반경이면 대도시를 커버할 수 있었다. 자정에서 시작해서 자정까지, 하는 식으로 점퍼 개인이 유용하는 시간대가 있다면 찾아내기 위해 약 한 달 여간 하나의 도시를 수십 번 돌며 탐색을 한다.

직장인으로서 출퇴근을 하며 점프를 이용하는 자라도 걸릴 테였고, 정해진 시간마다 유흥을 즐기러 메트로폴리스에 오는 이도 걸릴 테였다. 어쨌건, 각 조직의 정보력을 이용한 탐문 수사보다는 훨씬 직접적이고 광범위한 위치를 확실히 알 수 있는 수색 방법이었다.

홍인수는 그런 사정을 대강, 민서에게 설명했다. 그래서…

"저는 여기에 왜 온 겁니까."
"대충 알아 두십쇼. 조직에서 하는 다양한 활동들에 대해서 말입니다. 익숙해지고, 조직의 움직임을 머리에 넣어두고, 훌륭한 구성원이 되라는 말입니다."

홍인수는 이미 김민서를 조직의 일원으로 거의 생각하고 있었다. 당장 어떤 임무를 맡기기에는 부족한 솜씨였지만, 가진바 특수 능력도 아주 유용한 종류였고, 조금의 경험들을 쌓아준다면 쓸만한 친구였다. 성품도, 딱히 임무 수행에 방해가 될 정도로 파탄난 구석은 없어 보였고 말이다.

만일 지금의 인연이 십수 년을 넘게 이어질 수 있다면, 홍인수는 김민서가 조직의 중추에 서는 것도 이따금 상상해볼 수 있다.

"오늘은… 서울 중구를 시작으로 주욱 돌겁니다. 옌, 정확하게 파악할 수 있는 감지범위가 반경 2.53km 맞죠?"

"예, 2.53km."

옌이 고개를 끄덕였다. 그녀는 홍인수에게 붙들린 이후에 조직으로 넘어와서 다양한 일 처리를 돕는 중이었다. 전투원으로 써먹을 만한 전력은 아니었지만, 점퍼로서의 능력 하나만으로도 다양한 일이 가능했다. 더군다나 머리 회전도 제법 잘 돌아가는 편이었고. 그리고 이런 점퍼 맵핑mapping은 전 세계에서 그녀만이 할 수 있는 일이었고 말이다.

"대강 일정은 시간 나는대로 이루어집니다. 서울 돌고, 도쿄, 뉴욕, 런던, 파리, 베이징…. 대도시나 메트로폴리스라 할 만한 곳을 전부 돌고 나면 각지의 유명한 관광지 따위를 볼 거고요. 장님이 코끼리 더듬어 찾듯 막막한 일이지만, 여태까지 손도 없이 점퍼들을 발굴하고 찾아낸 것에 비하면 아주 쓸만한 방법입니다."

홍인수가 말했다. 김민서가 포카리스웨트를 든 채로 질문한다. 한 모금을 마시고, 채 먹기도 전에 진행되는 상황이 제법 급작스럽다.

"어… 뭐 설마 제가 그 대도시들에 다 함께 가는 겁니까?"

홍인수는 고개를 저었다. 그는 말하는 중간중간에 잘도 음료수를 삼킨다. 벌써 바닥을 보이는지, 찰랑 거리는 마지막 한 모금을 삼키면서 말했다.

"음, 아뇨. 시간이나 일정 봐서. 중간중간에 함께 할 겁니다. 그 것 말고도, JE2관련이나 체력 단련이나… 당신은 아직 시간을 쏟을 것들이 많아요."

민서가 고개를 주억거리는데 홍인수가 말했다.

"그래서, 태국인 여성은 관심 없습니까?"

옌도 한국말을 알아듣는 건 얼추 가능하다. 그녀가 김민서를 빤
히 쳐다보았다. 김민서가 입을 연다.

"아니… 미쳤습니까. 왜이래요. 아저씨는 연애 잘 하고 다녀
요?"

민서는 왜인지 공격을 당한 것처럼 울컥해서 받아 쳤다. 홍인수
는 웃으면서 다 마신 캔을 적당한 쓰레기통을 향해 날렸다. 한 번
의 스냅으로 잘 들어간다. 휙, 타당.

"저도 누구 하나 없는 건 마찬가지네요. 서로 좋은 사람 있으면
소개시켜 줍시다. 알겠죠."

옌은 홍인수의 말에 크게 반응하지는 않았다. 아직 농담을 주고
받기에는, 첫 만남이 지나치게 강렬했다. 그녀에게 홍인수는 자신
을 조직에 반쯤 납치해 온 괴한과도 같았다. 더군다나 웃고는 있지
만 도저히 상대할 구석이 보이지 않는 전투 요원이었고 말이다.

사무적인 말투로 옌이 입을 연다.

"어… 갑니까?"

화제를 바꾸는 듯한 말에 홍인수가 멋쩍게 입맛을 다셨다. "그러죠." 한적한 공원. 정오. 홍인수는 가까이 다가오라는 듯 제스쳐를 둘에게 취했다.

옌과 민서의 어깨에 손을 올리며 도약을 준비한다. 최초에는 홍인수가 일정 부분. 이후는 옌이 일정 부분. 서로 점프를 나누어서 부담하며 수색을 하기로 했다. 혼자서 수백 회를 다 감당하는 건 어려운 일이었다. 홍인수로서도, 여유분은 남겨 두어야 했고.

미리 조직에서 정해둔 포인트들이 있었다. 사람의 시야가 잘 닿지 않는 곳들을 위주로 빠르게 서울 전역을 조사한다.

조사 자체는 그리 오래 걸리지 않을 테였다. 옌의 감지 또한 순식간이었으니. 만일 정말로 운이 좋게 곧바로 점퍼의 이동이 감지되면, 그를 찾아가며 복잡한 인간사를 체험하고 시간을 잡아먹을 테였지만 말이다.

홍인수가 단체 도약으로 둘과 함께 사라진다.

*

점퍼Jumper, 순간이동자 2권 끝.

243